Odile

D1589691

10|18

12, avenue d'Italie — Paris XIIIe

Sur l'auteur

Noam Chomsky est un linguiste éminent, auteur et philosophe politique radical de réputation internationale. Il est aujourd'hui professeur de linguistique au MIT (Massachusetts Institute of Technology). Il est l'auteur de nombreux ouvrages parmi lesquels *De la propagande*.

LE PROFIT
AVANT L'HOMME

PAR

NOAM CHOMSKY

Traduit de l'américain
par Jacques MAAS

10 **18**

« *Fait et cause* »
dirigé par Hugues Jallon

FAYARD

Dans la même collection

Titre original :
Profit over People.
Neoliberalism and Global Order

ISBN 2-264-03812-8

Introduction

par Robert W. McChesney

Le néo-libéralisme est le paradigme économique et social de notre temps – il définit les politiques et les processus grâce auxquels une poignée d'intérêts privés acquièrent le droit de contrôler tout ce qui est possible dans la vie sociale afin de maximiser leurs profits personnels. Au départ associé à Ronald Reagan et Margaret Thatcher, il est, depuis une vingtaine d'années, le courant économico-politique dominant dans le monde, repris par tous les partis politiques, de droite, du centre et souvent de la gauche traditionnelle. Ceux-ci représentent ainsi les intérêts immédiats d'investisseurs extrêmement riches et de moins d'un millier de très grandes sociétés.

Pourtant, en dehors de certains cercles universitaires et bien sûr des milieux d'affaires, ce terme demeure largement inconnu du grand public, surtout aux États-Unis. Les initiatives néo-libérales y sont présentées comme une politique de liberté des marchés qui encourage l'entreprise privée, permet aux consommateurs de choisir librement, récompense la responsabilité individuelle et l'esprit d'entreprise, tout en sapant l'action de gouvernements incompétents, parasitaires et bureaucratiques, qui ne pourront jamais bien faire même s'ils ont de bonnes intentions, ce qui est rarement le cas. Des efforts de relations publiques menés pendant des générations, financés par les grandes sociétés, sont parvenus à donner à ces termes et à ces idées une aura presque sacrée. Il en résulte que de telles affirmations ont rarement besoin d'être défendues et sont invoquées pour justifier tout et n'importe quoi, de la baisse des impôts pour les riches à l'abandon des mesures de protection de l'environnement et au démantèlement des programmes d'éducation et d'assistance sociale. À dire vrai, toute activité qui pourrait gêner la domination des grandes entreprises sur la société est automatiquement suspecte, car elle perturbe le fonctionnement des marchés libres, dont on fait les seules instances à même de répartir rationnellement, équitablement et démocratiquement les biens et services. À entendre les partisans les plus éloquents du néo-libéralisme, on pourrait croire qu'ils rendent d'énormes services aux pauvres, et à tout le monde, quand ils appliquent leurs politiques en faveur d'une minorité de privilégiés.

Celles-ci ont eu à peu près partout les mêmes consé-quences économiques, qui n'avaient rien d'inattendu : aggravation massive des inégalités sociales et écono-miques, privations accrues pour les plus pauvres des nations et des peuples du monde, désastre pour l'envi-ronnement de la planète, instabilité de l'économie mondiale, mais aussi véritable aubaine sans précédent pour les plus riches. Confrontés à ces réalités, les défen-seurs de l'ordre néo-libéral affirment que la majorité de la population finira par bénéficier de ses bienfaits – du moins tant que rien n'entravera les politiques mêmes qui ont exacerbé ces problèmes !

En dernière analyse, les néo-libéraux ne peuvent défendre le monde qu'ils sont en train d'édifier en se fondant sur des faits. Bien au contraire, ils demandent, ou plutôt exigent, que l'on ait une foi religieuse dans le caractère infaillible d'un marché dérégulé, faisant appel à des théories qui remontent au XIXe siècle et ont peu de rapports avec le monde réel. Mais leur ultime argument est qu'il n'y a pas d'alternative. Tout le reste a échoué – communisme, social-démocratie, et même un modeste État-providence comme celui des États-Unis. Les citoyens de ces nations ont accepté le néo-libéralisme comme seule voie réalisable. Imparfaite, peut-être, mais il n'existe pas d'autre système économique concevable.

Au cours du XXe siècle, certains ont dit que le fascisme était « le capitalisme sans prendre de gants », signifiant par là sans droits ni organisations démocratiques. En fait, nous savons aujourd'hui que le fascisme était infiniment plus complexe. En revanche, cette définition s'applique parfaitement au néo-libéralisme. Il incarne une époque où les forces de l'argent sont plus puissantes et plus agressives que jamais et affrontent une opposition moins structurée. Dans ces conditions politiques, elles tentent de codifier leur pouvoir sur tous les fronts possibles, si bien qu'il est de plus en plus difficile de leur résister, et qu'il devient presque impossible pour les forces démocratiques extérieures au marché d'exister.

C'est précisément leur élimination qui nous permet de voir comment le néo-libéralisme fonctionne en tant que système, non seulement économique, mais aussi politique et culturel. En ce domaine, les différences sont frappantes avec le fascisme, son mépris de la démocratie formelle, ses organisations de masse toujours sur le pied de guerre, son racisme et son nationalisme. Là où le néo-libéralisme fonctionne le mieux, c'est où existe une démocratie électorale formelle, mais où la population se voit privée de l'accès à l'information et aux forums publics nécessaires à sa participation sérieuse à la prise de décision. Comme l'explique Milton Friedman, le célèbre gourou néo-libéral, dans son livre *Capitalisme et Liberté*, faire des profits est l'essence même de la démocratie ; tout gouvernement qui poursuit une politique contraire aux intérêts du marché est donc antidémocratique, quand bien même il jouirait d'un large soutien populaire. Mieux vaut donc le cantonner dans les tâches de protection de la propriété privée et d'exécution des contrats, tout en limitant le débat politique à des problèmes mineurs, les vraies questions – production et distribution des richesses, organisation sociale – devant être déterminées par les forces du marché.

Armés d'une compréhension aussi perverse de la démocratie, les néo-libéraux comme Friedman n'eurent rien à objecter, en 1973, au renversement par les militaires chiliens du gouvernement démocratiquement élu de Salvador Allende, qui perturbait le contrôle de la société par les milieux d'affaires. Après quinze ans d'une dictature brutale et féroce – au nom, bien entendu, de la liberté des marchés –, la démocratie fut formellement restaurée en 1989, avec une constitution qui rendait beaucoup plus difficile, voire impossible, pour les citoyens chiliens la remise en question de la domination militaro-industrielle sur le pays. Voilà un parfait exemple de ce qu'est la démocratie néo-libérale : des débats triviaux sur des questions minimes entre partis qui, fondamentalement, poursuivent la même politique favorable aux milieux d'affaires, quels que soient les différences formelles et les mots d'ordre de campagne. La démocratie est permise aussi longtemps que le contrôle exercé par le grand capital échappe aux délibérations et aux changements voulus par le peuple, c'est-à-dire aussi longtemps qu'elle n'est pas la démocratie.

Le système néo-libéral a donc un sous-produit important et nécessaire : des citoyens dépolitisés, marqués par l'apathie et le cynisme. Or, si la démocratie électorale affecte si peu la vie sociale, il serait irrationnel de lui prêter beaucoup d'attention. Aux États-Unis, en 1998, lors des élections au Congrès, on atteignit des records d'abstention ; un tiers seulement des inscrits se rendit aux urnes. Bien que suscitant parfois quelques inquiétudes au sein des partis qui, comme les démocrates, attirent les votes des dépossédés, ce phénomène tend à être accepté, voire encouragé, par les pouvoirs en place, lesquels y voient une très bonne chose, ceux qui ne votent pas étant surtout, on s'en doute, les pauvres et les ouvriers. Les mesures susceptibles de ranimer l'intérêt des électeurs et d'accroître leur participation aux scrutins sont étouffées avant même d'avoir été discutées publiquement. Toujours aux États-Unis, les deux grands partis, dominés et soutenus par les grandes sociétés, refusent de réformer des lois qui rendent pratiquement impossible de créer de nouveaux partis politiques (lesquels pourraient représenter des intérêts contraires au marché) et de les laisser faire la preuve de leur efficacité. Ainsi, bien qu'il existe un mécontentement, largement partagé et souvent observé, à l'égard des démocrates et des républicains, la politique électorale est un domaine où les notions de compétition et de libre détermination n'ont pas grand sens. À certains égards, la médiocrité du débat et du choix lors des élections évoque plutôt les États communistes à parti unique qu'une authentique démocratie.

Mais ces considérations rendent à peine compte des conséquences pernicieuses du néo-libéralisme pour une politique culturelle d'inspiration civique. D'un côté, les disparités sociales engendrées par les politiques néo-libérales sapent tout effort visant à parvenir à l'égalité devant la loi nécessaire pour que soit crédible la démocratie. Les grandes sociétés ont les moyens d'influencer les médias et de supplanter le débat politique ; elles ne se privent pas de les utiliser. Lors des élections américaines, pour ne citer qu'un exemple, le quart le plus riche de 1 % la population est responsable de 80 % des contributions politiques individuelles, et les grandes sociétés dépensent dix fois plus que les syndicats. Sous un régime néo-libéral, tout cela est parfaitement logique ; les scrutins ne font que refléter les principes du marché, les contributions financières sont autant d'investissements. On voit donc se renforcer dans la majorité de la population le sentiment que les élections ne servent à rien, ce qui assure le maintien de la domination, jamais remise en question, des grandes sociétés.

D'un autre côté, pour que la démocratie soit efficace, il faut que les gens se sentent liés à leurs concitoyens, et que ce lien se manifeste par diverses organisations et institutions qui ne soient pas soumises au marché. Une politique culturelle vivante a besoin de groupes communautaires, de bibliothèques, de lieux de rencontre publics, d'associations, de syndicats, qui fourniront aux citoyens des occasions de se retrouver, de communiquer, de côtoyer les autres. La démocratie néo-libérale, fondée sur l'idée du marché *über alles*, s'en prend directement à cet objectif. Elle produit non pas des citoyens, mais des consommateurs ; non pas des communautés, mais des centres commerciaux ; ce qui débouche sur une société atomisée, peuplée d'individus désengagés, à la fois démoralisés et socialement impuissants. En bref, le néo-libéralisme est, et restera, le principal ennemi d'une authentique démocratie participative, non seulement aux États-Unis mais sur toute la planète.

Il est normal que Noam Chomsky soit au premier rang dans la bataille menée aujourd'hui pour la démocratie et contre le néo-libéralisme. Dans les années 1960, il fut l'un des plus vifs dénonciateurs de la guerre du Viêtnam et, plus largement, l'analyste le plus féroce de la manière dont la politique étrangère américaine ébranle la démocratie, foule aux pieds les droits de l'homme et défend les intérêts d'une minorité de privilégiés. Dans les années 1970, il entama, avec Edward S. Herman, des recherches sur la façon dont les médias américains servent les intérêts de l'élite et sapent la capacité des citoyens à mener leur vie de manière réellement démocratique. Leur livre paru en 1988, *Manufacturing Consent,* demeure un point de départ obligé pour quiconque veut étudier sérieusement cette question.

Tout au long de ces années, Chomsky, en qui on peut voir un anarchiste ou, plus exactement, un socialiste libertaire, est apparu comme l'opposant résolu et conséquent des régimes et des partis communistes et léninistes. Il a appris à d'innombrables personnes, dont moi-même, que la démocratie est la pierre de touche non négociable de toute société postcapitaliste valant la peine qu'on lutte pour elle. Dans le même temps, il a démontré à quel point il est absurde de confondre capitalisme et démocratie, ou de croire que les sociétés capitalistes, même dans le meilleur des cas, permettront d'accéder à l'information ou de participer aux prises de décision autrement que dans les conditions les plus étroites et les plus contrôlées. Je doute que quiconque, hormis peut-être George Orwell, l'ait jamais égalé dans cette capacité à percer à jour l'hypocrisie des dirigeants et des idéologues des sociétés aussi bien communistes que capitalistes, chacun affirmant que la sienne est la seule véritable forme de démocratie à laquelle puisse prétendre l'humanité.

Dans les années 1990, les recherches politiques de Chomsky, jusque-là menées sur plusieurs fronts – de l'anti-impérialisme et de l'analyse critique des médias aux écrits sur la démocratie et le mouvement syndical –, se sont unifiées, culminant dans des œuvres telles que celle-ci, qui évoque les menaces que fait peser le néo-libéralisme sur les sociétés démocratiques. Chomsky a beaucoup fait pour renouveler la compréhension des exigences sociales de la démocratie, s'inspirant des Grecs de l'Antiquité mais aussi des grands penseurs des révolutions démocratiques du XVIIe et du XVIIIe siècle. Comme il le montre bien, il est impossible d'être en même temps l'avocat d'une démocratie participative et le champion du capitalisme, ou de toute autre société divisée en classes. En déterminant la portée des luttes historiques réelles pour la démocratie, il révèle également à quel point le néo-libéralisme n'a rien de nouveau ; il ne représente que la version actuelle de la bataille des riches et des privilégiés pour circonscrire les droits politiques et les pouvoirs civiques de la majorité.

On peut aussi voir en Chomsky le principal critique de la mythologie qui fait des marchés « libres » quelque chose de naturel – ce joyeux refrain qui nous est martelé sans fin : l'économie est concurrentielle, rationnelle, efficace, équitable. Comme il le fait remarquer, les marchés ne sont pratiquement jamais compétitifs. L'économie est, pour sa plus grande part, dominée par de très vastes sociétés qui disposent d'un pouvoir de contrôle énorme sur leurs marchés et, par conséquent, n'ont guère à affronter cette concurrence qu'évoquent les manuels et les discours des politiciens. De surcroît, elles sont en réalité des organisations totalitaires, opérant selon des règles non démocratiques. Que l'économie soit à ce point structurée autour d'elles compromet sévèrement notre capacité à construire une société démocratique.

La mythologie de la liberté des marchés prétend également que les appareils d'État sont des institutions inefficaces dont on devrait limiter les pouvoirs de manière à ne pas porter tort à la magie d'un laisser-faire naturel. En fait, comme le souligne Chomsky, ils jouent un rôle essentiel dans le système capitaliste moderne. Ils subventionnent massivement les grandes sociétés et s'emploient à défendre leurs intérêts sur de nombreux fronts. Si celles-ci exaltent l'idéologie néo-libérale, c'est souvent pure hypocrisie : elles comptent bien que les États leur transmettront l'argent des impôts et protégeront leurs marchés de la concurrence. Mais elles tiennent aussi à s'assurer qu'ils ne les taxeront pas ni ne soutiendront des intérêts étrangers aux leurs, en particulier ceux des pauvres et de la classe ouvrière. Ainsi, les États sont plus puissants que jamais, mais dans l'optique du néolibéralisme ils n'ont plus à faire semblant de se préoccuper du sort des autres.

Et le rôle déterminant des États et de leur politique n'est nulle part plus apparent que dans l'émergence d'une économie de marché mondialisée. Ce que les idéologues des milieux d'affaires nous présentent comme l'expansion naturelle, au-delà des frontières, des marchés libres est en réalité tout le contraire. La mondialisation est le résultat de la puissance des États, notamment des États-Unis, qui imposent des accords commerciaux aux peuples du monde pour permettre plus facilement à leurs grandes sociétés, et aux riches, de dominer les économies des nations de toute la planète sans avoir aucune obligation envers leurs peuples. Ce processus est parfaitement clair dans la création de l'OMC (Organisation mondiale du commerce) au début des années 1990, comme dans les délibérations secrètes sur l'AMI (Accord multilatéral sur l'investissement).

À dire vrai, l'incapacité à discuter honnêtement et franchement de lui-même est l'une des caractéristiques les plus frappantes du néo-libéralisme. La critique faite par Chomsky de l'ordre qu'il impose ne peut, dans les faits, atteindre le grand public en dépit de sa puissance empirique, et en raison même de son engagement démocratique. Ici, l'examen par Chomsky du système doctrinal des démocraties capitalistes est des plus utiles. Les médias, l'industrie des relations publiques, les idéologues universitaires, la culture intellectuelle en général, jouent un rôle essentiel dans la fabrication des « illusions nécessaires », celles qui font apparaître comme rationnelle, bienveillante et nécessaire (à défaut d'être nécessairement désirable) une situation déplaisante. Comme Chomsky s'empresse de le faire remarquer, il ne s'agit pas d'une conspiration des puissants : elle est inutile. Une grande diversité de mécanismes institutionnels permet d'envoyer des signaux aux intellectuels, aux experts et aux journalistes, les poussant à considérer le statu quo comme le meilleur des mondes possibles, et à ne pas défier ceux qui en bénéficient. Tout le travail de Chomsky consiste à faire appel aux activistes démocrates afin qu'ils refondent entièrement notre système médiatique, de telle sorte qu'il puisse s'ouvrir à des perspectives et à des enquêtes opposées aux grandes sociétés et au néo-libéralisme. C'est également un défi lancé aux intellectuels, ou du moins à ceux qui se disent attachés à la démocratie, pour qu'ils se regardent sans complaisance dans le miroir et se demandent en faveur de quelles valeurs, de quels intérêts, ils agissent.

La description que donne Chomsky de la mainmise des grandes sociétés sur l'économie, la politique, le journalisme et la culture est si accablante que chez certains lecteurs elle peut susciter un sentiment de résignation. Dans cette époque marquée par la démoralisation, certains pourraient être tentés d'aller plus loin et de conclure que, si nous sommes pris dans ce système régressif, c'est parce que, hélas, l'humanité est tout simplement incapable de créer un ordre social plus humain, plus égalitaire et plus démocratique.

En fait, la principale contribution de Chomsky pourrait bien être de toujours souligner les tendances fondamentalement démocratiques des peuples du monde et le potentiel révolutionnaire qu'elles expriment implicitement. Que les grandes sociétés se donnent tant de mal pour empêcher la mise en place de toute démocratie politique authentique est la meilleure preuve de l'existence de ces tendances. Les maîtres du monde se rendent bien compte que leur système a été créé pour satisfaire les besoins d'une infime minorité, non ceux de la majorité – laquelle, par conséquent, ne doit jamais se voir permettre de contester ou de modifier les règles du jeu. Même dans les démocraties actuelles, si boiteuses qu'elles soient, les milieux d'affaires veillent sans cesse à ce que les questions importantes – ainsi les négociations sur l'AMI – ne soient jamais débattues publiquement. Et ils dépensent des fortunes à financer une industrie des relations publiques chargée de convaincre les Américains, et les autres, qu'ils vivent dans le meilleur des mondes possibles. Selon cette logique, le temps de se préoccuper d'éventuelles améliorations sociales viendra quand ces milieux, renonçant à la propagande et à l'achat des élus, permettront l'existence de médias représentatifs et contribueront à la mise en place d'une démocratie participative réellement égalitaire parce qu'ils ne redouteront plus le pouvoir du grand nombre. Mais il n'y a aucune raison de croire que ce temps viendra jamais.

Le grand message du néo-libéralisme, c'est qu'il n'y a pas d'alternative au statu quo et que l'humanité a d'ores et déjà atteint son niveau le plus élevé. Chomsky fait remarquer que plusieurs périodes ont déjà été considérées comme la « fin de l'Histoire ». Dans les années 1920, puis dans les années 1950, les élites américaines affirmaient que le système fonctionnait parfaitement et que la passivité des masses témoignait de leur satisfaction. Dans les deux cas, les événements survenus peu après ont montré l'absurdité de cette conviction. J'ai tendance à penser que, à compter du jour où les forces démocratiques remporteront quelques victoires tangibles, elles retrouveront des couleurs ; alors, les discours niant toute possibilité de changement connaîtront le même sort que les fantasmes d'autrefois sur le règne glorieux des élites, destiné à durer mille ans.

L'idée d'une absence d'alternative au statu quo est plus incongrue que jamais à une époque comme la nôtre, où existent des technologies extraordinaires pour améliorer la condition humaine. Il est vrai que la marche à suivre pour créer un ordre postcapitaliste fiable, libre et humain est encore floue, et que cette notion même a quelque chose d'utopique. Mais à chaque progrès historique, de l'abolition de l'esclavage à la décolonisation, il a bien fallu surmonter l'idée que c'était « impossible » puisque cela n'avait encore jamais été fait. Et, comme le souligne Chomsky, c'est à l'activisme politique organisé que nous devons les droits démocratiques et les libertés dont nous jouissons aujourd'hui – suffrage universel, droits civiques, droits des femmes, des syndicats… Même si une société post-capitaliste paraît encore inaccessible, nous savons que l'activité politique peut rendre plus humain le monde dans lequel nous vivons. En nous rapprochant petit à petit de cet objectif, peut-être redeviendrons-nous capables de penser l'édification d'une économie politique reposant sur la coopération, l'égalité, l'autonomie et la liberté individuelle.

En attendant, la lutte pour les changements sociaux n'a rien d'un problème hypothétique. L'ordre néo-libéral actuel a engendré des crises économiques et politiques de très grande ampleur, de l'Extrême-Orient à l'Europe de l'Est et à l'Amérique latine. Dans les nations développées d'Europe, d'Amérique du Nord et du Japon, la qualité de la vie demeure fragile et la société est le théâtre d'une agitation considérable. Il faut s'attendre à d'énormes bouleversements dans les années et les décennies à venir. Toutefois, on ne sait guère sur quoi ils déboucheront, et il y a peu de raisons de croire qu'ils trouveront automatiquement une solution démocratique et humaine. L'issue en sera déterminée par la manière dont nous, le peuple, saurons nous organiser, réagir, agir. Comme le dit Chomsky, si l'on fait comme s'il n'existait aucune possibilité de changement favorable, il n'y en aura aucune. À vous – à nous – de choisir.

Robert W. McChesney,
Madison, Wisconsin,
octobre 1998.

Avant-propos
Un monde sans guerre

(Discours au Forum social mondial
de Porto Alegre, 1er février 2002)

J'espère que vous ne m'en voudrez pas si je plante le décor en recourant à quelques truismes. Que nous vivions dans un monde marqué par les conflits et les confrontations n'a rien de très nouveau. Il faut tenir compte de paramètres et de facteurs complexes, mais ces dernières années les lignes de front ont été tracées de manière assez nette. Pour simplifier, mais pas trop, il y a d'un côté les concentrations de pouvoir, étatiques ou privées, étroitement liées entre elles. De l'autre, la population des pays du monde. Autrefois, on aurait appelé cela une « guerre de classes » – terme aujourd'hui désuet.

Les concentrations de pouvoir poursuivent cette guerre de manière implacable et très volontariste. Les documents gouvernementaux et les publications du monde des affaires révèlent qu'elles sont composées, pour l'essentiel, de marxistes vulgaires – les valeurs étant bien entendu inversées. Et elles ont peur – une peur qui remonte en fait à l'Angleterre du XVIIe siècle. Elles se rendent compte, en effet, que leur système de domination est fragile, qu'il s'appuie sur la mise au pas des masses par divers moyens – des moyens qui font l'objet d'une quête désespérée :

ces dernières années, on a essayé le communisme, le crime, la drogue, le terrorisme, et bien d'autres. Les prétextes changent, mais les politiques demeurent assez stables. Parfois, le changement de prétexte, avec une politique restant identique, est assez spectaculaire, et il est difficile de ne pas s'en apercevoir, comme ce fut le cas après l'effondrement de l'URSS. Bien entendu, on saisit toutes les occasions de poursuivre la mise en œuvre de mesures particulières : le 11 septembre en est un exemple typique. Les crises permettent d'exploiter les peurs et les inquiétudes, de faire en sorte que l'adversaire se montre soumis, obéissant, silencieux, éperdu, tandis que les puissants en profitent pour appliquer avec une vigueur encore accrue leurs programmes préférés. Ceux-ci peuvent varier en fonction de la société considérée : dans les États les plus brutaux, escalade de la répression et de la terreur ; là où le peuple s'est assuré davantage de libertés, mesures visant à imposer sa mise au pas, tout en faisant passer toujours plus de richesses et de pouvoir aux mains d'un petit nombre. Il n'est pas difficile de trouver des exemples dans le monde entier au cours de ces derniers mois.

Il est certain que les victimes doivent résister à cette prévisible exploitation des crises et se concentrer sur leurs propres efforts, de manière tout aussi implacable, dirigés vers les questions essentielles, qui, elles, ne changent pas beaucoup : militarisme croissant, destruction de l'environnement, assaut de grande ampleur contre la démocratie et la liberté – autant d'éléments qui sont au cœur des programmes « néo-libéraux ».

À l'heure où je parle, le conflit en cours est symbolisé par deux réunions, le présent Forum social, et le Forum économique mondial de New York. Ce dernier, pour citer la presse américaine, rassemble ceux « qui font bouger les choses », les « riches et célèbres » « sorciers du monde entier », « chefs de gouvernement et responsables de grandes sociétés, ministres d'État et hommes de Dieu, experts et politiciens », qui vont « se livrer à de profondes réflexions » et traiter des « grands problèmes auxquels l'humanité est confrontée ». On nous donne quelques exemples, ainsi : « Comment introduire des valeurs morales dans nos activités ? › On trouve aussi un groupe de discussion intitulé « Dis-moi ce que tu manges », dirigé par « le prince régnant de la scène gastronomique new-yorkaise », dont les élégants restaurants seront « envahis par les participants ». On signale également un « anti-forum » au Brésil, où l'on attend 50 000 personnes. Ce sont « des cinglés qui se rassemblent pour protester contre les réunions de l'Organisation mondiale du commerce ». On peut même en apprendre davantage sur eux grâce à la photo d'un type d'allure miteuse, le visage dissimulé, qui écrit sur un mur « Tueurs du monde ».

À l'occasion de leur « carnaval », comme on l'appelle, les cinglés jettent des pierres, couvrent les murs de graffitis, chantent et dansent, évoquent des sujets si fastidieux qu'il ne vaut pas la peine d'en parler, du moins dans la presse américaine : investissements, commerce, structures financières, droits de l'homme, démocratie, développement durable, relations entre le Brésil et l'Afrique, AGCS*, et autres questions marginales. Ils ne se livrent pas à « de profondes réflexions » sur les « grands problèmes » : ceci est la tâche des sorciers de Davos, réunis cette année à New York.

---

* AGCS : Accord général sur le commerce des services (*NdT*).

J'ai tendance à penser que cette rhétorique infantile est le signe d'une insécurité bien méritée.

Les cinglés de « l'anti-forum » réuni ici sont présentés comme « opposés à la mondialisation » – propagande que nous devrions repousser avec mépris. La « mondialisation » désigne tout simplement une intégration internationale. Aucune personne saine d'esprit ne peut être « antimondialisation ». Cela devrait être particulièrement évident pour les syndicats et la gauche, qui n'ignorent pas la signification du terme « international ». En fait, le Forum social mondial est la réalisation la plus excitante et la plus prometteuse des espoirs de la gauche et des mouvements populaires, depuis leurs origines, de voir se créer une véritable Internationale qui mettrait en œuvre un programme de mondialisation soucieux des intérêts et des besoins des peuples, au lieu de ceux de concentrations de pouvoir dépourvues de légitimité. Bien entendu, ces dernières veulent s'approprier le terme « mondialisation » et lui faire désigner uniquement leur propre version de l'intégration internationale, soucieuse de leurs seuls intérêts, ceux des peuples restant accessoires. Cette terminologie ridicule étant bien en place, ceux qui sont en quête d'une forme saine et juste de mondialisation sont qualifiés de militants « antimondialisation » et caricaturés comme autant de primitivistes désireux d'en revenir à l'âge de pierre, portant tort aux pauvres, et autres formules insultantes dont nous avons l'habitude.

Les sorciers de Davos constituent ce qu'ils appellent modestement la « communauté internationale », mais je préfère l'expression employée par le plus important journal du monde des affaires, le *Financial Times* : les « maîtres de l'univers ». Comme ils vouent tous une vive admiration à Adam Smith, nous pourrions nous attendre à ce qu'ils souscrivent à sa description de leur comportement, bien qu'il se soit borné à les appeler les « maîtres de l'humanité » – c'était avant la conquête de l'espace*. [...]

Je reviendrai sur ces questions, mais d'abord quelques mots sur le sujet de cette séance, qui leur est étroitement lié : « Un monde sans guerre ». Rares sont les choses certaines dans le domaine des affaires humaines, mais elles existent. Par exemple, nous pouvons raisonnablement affirmer que nous nous acheminons soit vers un monde sans guerre, soit vers plus de monde du tout – en tout cas qui soit habité par des créatures autres que les bactéries, les scarabées et quelques autres espèces. La raison en est bien connue : les humains ont mis au point des moyens de destruction mutuelle, et bien d'autres choses encore, et depuis un demi-siècle ils ont plusieurs fois été dangereusement près d'en faire usage. En outre, les dirigeants du monde civilisé s'emploient désormais à accroître ces dangers qui menacent notre survie en sachant parfaitement ce qu'ils font, du moins s'ils lisent les rapports de leurs services de renseignement et d'analystes stratégiques respectés, dont beaucoup sont favorables à cette course à la destruction. Plus inquiétant encore, les plans en ce sens sont développés et mis en œuvre sur des bases rationnelles, en tout cas par rapport au cadre de référence dominant des idéologies et des valeurs, dans lequel la survie passe bien après l'« hégémonie », objectif poursuivi par les défenseurs de ces programmes, comme ils le reconnaissent franchement.

---

* Sur les définitions et les prédictions d'Adam Smith, voir *infra*, p. 54, 83, 97.

Des guerres à propos de l'eau, de l'énergie ou d'autres ressources ne sont pas inconcevables dans l'avenir, avec des conséquences qui pourraient être dévastatrices. Pour l'essentiel, toutefois, les guerres ont été liées à l'imposition du système des États-nations, formation sociale artificielle qui en règle générale a dû être instituée par la violence. C'est la première raison qui explique que l'Europe ait été pendant des siècles l'endroit le plus sauvage et le plus brutal du monde, tout en conquérant le reste de la planète. Ses efforts en vue d'imposer des systèmes étatiques aux territoires conquis sont à l'origine de la plupart des conflits actuellement en cours, après l'effondrement du système colonial proprement dit. En 1945, l'Europe dut abandonner son sport favori, le massacre réciproque, quand on comprit que la prochaine fois serait la dernière. Une autre prédiction qu'il nous est possible de faire avec une confiance raisonnable est qu'il n'y aura pas de guerres entre les grandes puissances, pour la bonne raison que si elle se révèle fausse il n'y aura plus personne pour nous le signaler.

De surcroît, l'activisme populaire au sein des sociétés les plus riches et les plus puissantes a eu un effet civilisateur. Ceux « qui font bouger les choses » ne peuvent plus se livrer à ces agressions de longue durée qui autrefois constituaient des options envisageables, comme lorsque les États-Unis, voilà quarante ans, attaquèrent le Sud-Viêt-nam, en détruisant une bonne partie avant que commencent à s'exprimer des protestations populaires significatives. Car, parmi les nombreux effets civilisateurs de l'agitation des années 1960, on citera cette large opposition aux agressions et aux massacres à grande échelle, reformulée dans le système idéologique actuel comme un refus d'accepter les pertes dans les forces armées (le « syndrome vietnamien »). C'est pourquoi les reaganiens durent recourir au terrorisme international, faute de pouvoir envahir directement l'Amérique centrale sur le modèle Kennedy-Johnson, lors de leur guerre visant à venir à bout de la théologie de la libération, pour reprendre la formule que l'École des Amériques* emploie avec orgueil. Les mêmes types de changements expliquent qu'en 1989 les rapports des services de renseignement destinés à la nouvelle administration Bush (le père) l'aient mis en garde : en cas de conflits avec des « ennemis beaucoup plus faibles » – les seuls qu'il vaille la peine d'affronter –, les États-Unis devraient « les vaincre rapidement et de manière décisive », faute de quoi la campagne militaire perdrait « tout soutien politique », ce qui sous-entend que celui-ci était faible dès le départ. Depuis, les guerres s'en sont tenues à ce modèle, tandis que l'ampleur des protestations croissait fortement. Il y a donc bel et bien des changements, mais de nature variée.

Quand les prétextes disparaissent, il faut en concocter de nouveaux pour pouvoir contrôler le « grand animal » – la population indocile, dans les termes des pères fondateurs de la démocratie américaine –, tandis que les politiques traditionnelles se poursuivent, adaptées à des circonstances inédites. Cette nécessité était déjà claire il y a vingt ans. Il était difficile de ne pas se rendre compte que l'ennemi soviétique se heurtait à des problèmes internes et ne constituerait plus très longtemps une menace crédible. C'est en partie la raison pour laquelle l'administration Reagan, à cette époque, déclara que la « guerre contre la terreur » serait désormais l'axe de la

---

* École militaire américaine chargée de la formation d'officiers venus d'Amérique latine. Nombre de ses élèves sont devenus par la suite des tortionnaires en vue (*NdT*).

politique étrangère américaine, plus particulièrement en Amérique centrale et au Moyen-Orient, principales sources de la peste diffusée par « des adversaires pervers de la civilisation elle-même », partisans d'un « retour du monde moderne à la barbarie », comme l'expliqua George Shultz, un modéré, en nous prévenant que la violence serait la solution car elle permettait d'éviter « tous moyens légalistes utopiques tels que la médiation des tiers, la Cour internationale de La Haye ou les Nations unies ». Inutile de nous attarder sur la manière dont la guerre fut menée, dans ces deux régions comme ailleurs, par un extraordinaire réseau d'États clients et de mercenaires – le véritable « axe du mal », pour reprendre une formule plus récente.

Il n'est pas sans intérêt de noter qu'après le 11 septembre, dans les mois qui suivirent cette « redéclaration » de guerre au terrorisme avec une rhétorique sensiblement identique, tous ces faits ont été effacés, y compris la condamnation des États-Unis pour terrorisme international par la Cour internationale de La Haye et le Conseil de sécurité (où la résolution fit l'objet d'un veto américain), condamnation à laquelle ils répondirent par une escalade brutale de leurs propres attaques terroristes auxquelles il leur avait été ordonné de mettre un terme. Pareillement tu, le fait que ceux-là mêmes qui dirigent aujourd'hui les secteurs diplomatique et militaire de la nouvelle administration furent les principaux responsables des atrocités terroristes commises en Amérique centrale et au Moyen-Orient pendant la première phase de la « guerre contre la terreur ». Le silence qui entoure ces questions est un véritable hommage à la discipline et à l'obéissance des classes éduquées dans les sociétés libres et démocratiques.

On peut raisonnablement penser que, dans les années à venir, la « guerre contre la terreur » servira une fois de plus de prétexte aux interventions et aux atrocités, et pas simplement à celles des États-Unis – la Tchétchénie n'est en ce domaine qu'un exemple parmi d'autres. S'attarder sur ce qui s'annonce en Amérique latine est inutile, surtout ici au Brésil, première cible de la vague de répression qui a balayé le continent après que l'administration Kennedy, prenant une décision d'importance historique, eut chargé les militaires latino-américains non plus de « défendre l'hémisphère », mais d'assurer la « sécurité intérieure » – euphémisme désignant la terreur d'État dirigée contre la population. Et cela continue, à très grande échelle [...].

La « guerre contre la terreur » a évidemment fait l'objet d'une considérable littérature, pendant les années 1980 lors de sa première phase, puis au cours des mois qui ont suivi la « redéclaration » de guerre. Une caractéristique intéressante de ce flot de commentaires, alors comme aujourd'hui, est que l'on ne nous explique jamais ce qu'est la « terreur ». On nous dit plutôt que c'est une question épineuse et complexe. C'est d'autant plus curieux que les documents officiels américains en donnent des définitions simples. L'une d'elles la désigne ainsi comme « l'usage calculé de la violence, ou de la menace de violence, en vue d'atteindre des objectifs de nature politique, idéologique ou religieuse ». Elle semble convaincante à première vue, mais elle ne saurait être adoptée, pour deux bonnes raisons : la première est qu'elle s'applique aussi à la politique officielle américaine, appelée « contre-terrorisme » ou « conflit de basse intensité » ; la seconde est qu'elle conduit à donner les mauvaises réponses. Ce sont là des faits trop évidents pour que l'on s'y attarde – bien qu'ils soient mis sous le boisseau avec une efficacité remarquable.

Le problème qui consiste à trouver une définition de la « terreur » pouvant exclure les cas les plus voyants est effectivement épineux et complexe. Il existe heureusement une solution simple : la définir comme étant celle qu'*ils* exercent contre *nous*. Un examen de la littérature universitaire, des médias et des revues intellectuelles montre que le recours à cette définition est à peu près général, et que s'en écarter provoque aussitôt d'impressionnantes fureurs. C'est d'ailleurs une pratique d'emploi universel : les militaires d'Amérique du Sud protégeaient les populations de « la terreur venue de l'extérieur », comme les Japonais en Mandchourie et les nazis en Europe occupée. S'il existe une exception, j'avoue ne pas l'avoir trouvée.

Revenons-en à la « mondialisation » et aux liens qui l'unissent aux menaces de guerre – et peut-être à une guerre terminale.

La version de la « mondialisation » mise en circulation par les maîtres de l'univers jouit du large soutien des élites, ce qui n'a rien de surprenant, de même que ce que l'on appelle les « accords sur la liberté du commerce » – que le *Wall Street Journal*, plus honnêtement, qualifie d'« accords sur la liberté des investissements ». On ne parle guère de ces questions et certaines informations essentielles sont tout simplement passées sous silence : au bout d'une décennie, la position du mouvement syndical américain sur l'ALENA et les conclusions du bureau de recherches du Congrès (l'OTA, Office of Technology Assessment), qui vont dans le même sens, n'ont toujours pas été rapportées par les médias et restent uniquement diffusées par des sources contestataires. Bien entendu, ces sujets sont aussi exclus des débats électoraux. Il y a de bonnes raisons à cela. Les maîtres savent parfaitement que l'opinion publique exprimerait son opposition si elle disposait des informations nécessaires. Toutefois, ils se montrent beaucoup plus francs quand ils discutent entre eux. C'est ainsi qu'il y a quelques années, sous la vive pression du grand public, le Congrès a rejeté la loi dite « Fast Track », qui aurait permis au Président de négocier seul des accords économiques internationaux en ne laissant plus aux parlementaires que le pouvoir de les approuver ou (théoriquement du moins) de les rejeter, sans possibilité de les discuter – l'opinion publique, elle, n'étant informée de rien. Comme les autres organes d'opinion de l'élite, le *Wall Street Journal* fut accablé par l'échec d'un projet visant à saper la démocratie. Mais il avait une explication : les adversaires de ces mesures d'allure stalinienne disposaient de l'« arme absolue », l'appui du grand public – lequel devait donc être maintenu dans l'ignorance*. Cela est d'autant plus important que, dans une société démocratique, les dissidents ne peuvent pas être simplement emprisonnés ou assassinés, comme au Salvador, en Turquie ou en Colombie, champions du monde actuels de ces méthodes – et principaux bénéficiaires de l'aide militaire américaine si l'on met de côté Israël et l'Égypte.

On peut se demander pourquoi, depuis de nombreuses années, l'opposition du grand public à la « mondialisation » est si vive. Cela semble en effet étonnant puisque cette dernière a permis une prospérité sans précédent – c'est du moins ce que l'on nous répète sans arrêt,

---

* Sur l'épisode « Fast Track » et l'« arme absolue », voir chapitre VI.

notamment aux États-Unis, qui auraient une « économie de conte de fées ». Tout au long de la dernière décennie, ceux-ci ont connu « le plus grand boom économique de [leur histoire], et [de celle] du monde », écrivait Anthony Lewis dans le *New York Times* il y a un an, le refrain habituel nous venant cette fois de la gauche de l'éventail politique. Naturellement, on reconnaît qu'il y a des lacunes : le miracle économique a laissé bien des gens derrière lui, et nous autres qui avons si bon cœur devrions y faire quelque chose. En fait, ces carences reflètent un dilemme aussi profond qu'inquiétant : la croissance et la prospérité qu'entraîne la « mondialisation » s'accompagnent d'inégalités elles aussi en pleine expansion, car certains manquent des talents nécessaires pour bénéficier comme il se doit des cadeaux merveilleux et des opportunités qui se présentent.

Ce tableau est si conventionnel que l'on aura peut-être du mal à se rendre compte qu'il n'a qu'un rapport lointain avec la réalité – une réalité bien connue depuis le début. Jusqu'au bref « mini-boom » de la fin des années 1990 (qui, pour la majeure partie des gens, compensa à peine la stagnation et le recul qui l'avaient précédé), la croissance *per capita* au cours de la décennie a été pratiquement la même que dans le reste du monde industrialisé, bien plus faible en tout cas qu'au cours des 25 premières années de l'après-guerre – avant la prétendue « mondialisation » –, et insignifiante par rapport à la période du second conflit mondial, où les États-Unis connurent bel et bien le plus grand boom économique de leur histoire – et l'économie était alors semi-dirigée. Comment l'image officielle peut-elle à ce point différer de tous ces faits parfaitement avérés ? La réponse est d'une simplicité enfantine. Les années 1990 ont réellement été le cadre d'un grand boom économique, mais pour une toute petite couche sociale. Il se trouve qu'elle comprend tous ceux qui se chargent d'annoncer les bonnes nouvelles aux autres. Et on ne peut les accuser de malhonnêteté. Ils n'ont aucune raison de douter de ce qu'ils disent : ils le lisent sans arrêt dans les journaux pour lesquels ils écrivent, et cela correspond parfaitement à leur expérience personnelle. C'est également vrai des gens qu'ils croisent dans les salles de rédaction, les universités et les conférences de l'élite, comme celle à laquelle les sorciers de Davos assistent actuellement, et dans les restaurants élégants où ils vont dîner. C'est le monde qui est différent.

Jetons un rapide coup d'œil sur le passé un peu plus lointain. L'intégration économique – l'une des facettes de la « mondialisation » entendue au sens neutre du terme – augmenta rapidement avant la Première Guerre mondiale, resta stable ou diminua dans les vingt années qui suivirent, puis reprit après la guerre de 1939-1945. Elle atteint aujourd'hui des niveaux à peu près analogues à ceux d'il y a un siècle. À certains égards, la mondialisation était plus importante avant la guerre de 1914-1918 qu'aujourd'hui – si l'on considère la « libre circulation de la main-d'œuvre », par exemple, principe qui était pour Adam Smith au fondement de la liberté du commerce, mais apparemment pas pour ses admirateurs contemporains. Selon d'autres méthodes d'évaluation, en revanche, la mondialisation est aujourd'hui bien plus avancée : les flux de capitaux spéculatifs à court terme – exemple particulièrement spectaculaire, mais ce n'est pas le seul – dépassent de loin les niveaux antérieurs. La distinction reflète certaines caractéristiques fondamentales de la mondialisation dans sa version chère aux maîtres de l'univers : le capital a la priorité, les gens sont accessoires – et ce bien au-delà des normes couramment admises.

La frontière mexicaine est un exemple intéressant. Elle est artificielle, c'est-à-dire que, comme beaucoup d'autres, elle est le résultat d'une conquête, et poreuse dans les deux sens pour diverses raisons socio-économiques. Après la signature de l'ALENA, Clinton l'a militarisée pour empêcher la « libre circulation de la main-d'œuvre » – cette mesure était devenue nécessaire en raison de l'effet prévisible du traité au Mexique : un « miracle économique » qui serait un désastre pour la majorité de la population, laquelle chercherait à échapper à son destin. Au cours de la même période, la liberté des flux de capitaux, déjà très grande, a été encore accrue, de même que la liberté de ce que l'on appelle le « commerce », dont les deux tiers sont désormais gérés de manière centralisée au sein même des tyrannies privées, contre la moitié avant la signature de l'ALENA. Parler de « commerce » n'est donc qu'une convention doctrinale. À ma connaissance, les effets du traité sur le commerce réel n'ont jamais été analysés.

Un moyen plus technique de mesurer l'ampleur de la mondialisation est d'observer la convergence vers un marché mondial, avec des prix et des salaires uniques. De toute évidence, elle ne s'est pas produite. On a même assisté au processus inverse, du moins en ce qui concerne les revenus. Bien des choses dépendent de la précision des mesures, mais on a de bonnes raisons de croire que, au-dedans comme au-dehors des frontières, les inégalités se sont aggravées, et devraient continuer à le faire. Les services de renseignement américains, avec la participation de spécialistes universitaires ou venus du secteur privé, ont récemment publié un rapport sur les projections d'avenir pour 2015. La « mondialisation » devrait suivre son cours : « Son évolution sera instable, marquée par une volatilité financière chronique et un fossé économique grandissant. » Cela veut dire moins de convergence, moins de mondialisation au sens technique du terme, mais davantage, il est vrai, au sens préféré par la doctrine. Quant à la volatilité financière, elle implique une croissance encore plus lente, et toujours plus de crises et de pauvreté.

C'est sur ce point qu'un lien peut être clairement établi entre la version de la « mondialisation » privilégiée par les maîtres de l'univers et la probabilité croissante d'une guerre. Les planificateurs militaires reprennent les mêmes projections et expliquent sans détour que ces attentes sont à la base d'une vaste extension du pouvoir militaire. Même avant le 11 septembre, les dépenses américaines en ce domaine dépassaient déjà celles de leurs alliés et de leurs adversaires réunis. On a exploité les attentats en vue de les accroître encore plus fortement, ce qui a ravi les hauts responsables de l'économie privée. L'aspect le plus inquiétant des programmes en cours est la militarisation de l'espace, toujours sous le prétexte de « combattre la terreur ».

Ce déploiement militaire s'appuie sur un raisonnement qu'exposent publiquement des documents officiels datant de l'ère Clinton. La première raison avancée est le fossé croissant entre « possédants » et « dépossédés », dont on s'attend à ce qu'il s'élargisse encore – contrairement à ce que prédit la théorie économique, mais conformément à la réalité. Les « dépossédés » – le « grand animal » de la planète – pourraient bien commencer à s'agiter, et il convient de les maintenir sous contrôle au nom de ce que l'on appelle en jargon technique la « stabilité », c'est-à-dire la soumission aux diktats des maîtres. Cela exige un certain recours à la violence ; ayant assumé, « pour défendre leurs propres intérêts, la responsabilité du bien-être du système capitaliste mondial », les États-Unis doivent en ce domaine être au premier rang. Je cite Gerald Haines, historien de la diplomatie et de la CIA. Il décrit, dans une étude savante, les programmes américains des années 1940. Une domination écrasante dans le domaine des forces conventionnelles et des armes de destruction massive ne suffit plus. Il est nécessaire de franchir la « nouvelle frontière » et de militariser l'espace, en dépit du traité sur l'espace de 1967, jusque-là respecté*. Sa validité a été réaffirmée à plusieurs reprises par l'Assemblée générale des Nations unies, qui voyait bien le but de la manœuvre ; à chaque fois, les États-Unis, seuls ou presque, ont refusé de se joindre à la majorité. Et c'est sur cette question que Washington, l'année dernière, a bloqué la conférence sur le désarmement de l'ONU – ce dont personne ou presque n'a parlé, pour les raisons habituelles. Il n'est pas judicieux de permettre aux citoyens de connaître des projets qui pourraient mettre un terme à la seule expérience que l'évolution biologique ait jamais tenté avec l'« intelligence supérieure ».

Comme beaucoup de gens l'ont fait observer, de tels programmes profitent à l'industrie militaire, mais il nous faut garder à l'esprit que ce dernier terme est trompeur. Tout au long de l'histoire moderne, mais de manière encore plus spectaculaire après la Seconde Guerre mondiale, l'appareil militaire a été utilisé comme un moyen de socialiser les coûts et les risques, tout en privatisant les profits. La « nouvelle économie » est dans une large mesure une retombée d'un secteur d'État dynamique et novateur. Si les dépenses publiques consacrées aux recherches biologiques croissent si

---

* Entré en vigueur en octobre 1967 et signé par plus d'une centaine d'États, ce traité interdit notamment l'aménagement de bases ou d'installations militaires sur les corps célestes (*NdT*).

rapidement, c'est parce que les hommes de droite les plus intelligents comprennent que la santé du secteur de pointe de l'économie dépend de telles initiatives. Une nouvelle augmentation, colossale, est prévue, le prétexte avancé étant celui du « bioterrorisme ». Autrefois, le grand public dupé fut convaincu qu'il devait financer la nouvelle économie parce que les Russes arrivaient. Après l'effondrement de l'URSS, la Ligne du Parti changea d'un seul coup, sans la moindre fausse note et sans que cela suscite le moindre commentaire, et l'on brandit la menace de la « sophistication technologique » des pays du Tiers Monde. C'est aussi pourquoi des exemptions liées à la sécurité nationale doivent être inscrites dans les traités économiques internationaux. Ces clauses ne sont guère utiles à Haïti, mais permettent à l'économie américaine de croître à l'abri du vieux principe : les rigueurs du marché pour les pauvres, un État aux petits soins pour les riches. C'est ce que l'on appelle le « néo-libéralisme », bien que le terme ne soit pas très satisfaisant pour désigner une doctrine plusieurs fois séculaire qui aurait scandalisé les libéraux classiques.

On peut faire valoir que ces dépenses publiques en valaient la peine. Peut-être que oui, peut-être que non. Mais il est clair que les maîtres ont toujours eu peur de permettre un choix démocratique. Toutes ces décisions sont cachées à l'opinion publique, bien que les initiés comprennent parfaitement de quoi il s'agit.

Les projets visant à franchir l'ultime frontière de la violence en militarisant l'espace sont déguisés en programmes de « défense antimissile », mais quiconque s'intéresse un peu à l'histoire sait que lorsqu'on entend « défense » il faut en fait comprendre « attaque ». Les programmes actuels ne font pas exception à la règle. L'ambition est énoncée avec la plus grande franchise : il s'agit d'assurer la « domination mondiale », l'« hégémonie ». Les documents officiels soulignent avec insistance qu'il s'agit de « protéger les intérêts et les investissements américains » et de contrôler les « dépossédés ». Aujourd'hui, la poursuite de cet objectif exige la domination de l'espace, tout comme autrefois les États les plus puissants se dotaient d'une marine et d'une armée « pour protéger et renforcer leurs intérêts commerciaux ». On reconnaît que de telles initiatives, pour lesquelles les États-Unis sont très en avance, représentent une grave menace pour la survie de l'humanité. On comprend également que cette menace pourrait être écartée par la conclusion de traités internationaux. Mais, comme je l'ai déjà signalé, c'est l'hégémonie qui prime – principe qui a toujours prévalu chez les puissants tout au long de l'Histoire. Ce qui a changé, c'est que les enjeux sont désormais beaucoup plus importants, au point d'en être terrifiants.

À ce sujet, le point le plus significatif est que le succès de la « mondialisation » – au sens doctrinal du terme – est la raison principale avancée pour justifier les programmes qui visent à remplir l'espace d'armes offensives permettant des destructions massives instantanées.

Revenons à la « mondialisation » et au boom des années 1990, le « plus grand boom économique de l'histoire des États-Unis et du monde ».

Après la Seconde Guerre mondiale, l'économie internationale a connu deux phases. La première, qui a duré jusqu'au début des années 1970, était placée sous l'égide des accords de Bretton Woods, qui impliquaient une réglementation des taux de change et un contrôle des mouvements de capitaux. Ce système a été démantelé au cours de la seconde phase – c'est ce que l'on appelle la

« mondialisation », associée aux politiques néo-libé-rales du « consensus de Washington ». Les deux périodes sont très différentes. On voit souvent dans la première l'« âge d'or » du capitalisme (d'État). La seconde s'est accompagnée d'une importante dégrada-tion des indicateurs macro-économiques standard – taux de croissance de l'économie, productivité, investisse-ments de capitaux –, d'une accumulation de réserves improductives pour défendre les monnaies, d'une volati-lité financière accrue, d'une forte hausse des taux d'intérêt (avec des effets destructeurs sur l'activité économique), et autres conséquences négatives. Il y eut des exceptions, en particulier les pays d'Extrême-Orient, qui ne respectèrent pas les règles : ils n'adoraient nulle-ment « la religion chère aux marchés », comme l'écrivit Joseph Stiglitz dans une étude publiée par la Banque mondiale peu avant qu'il en devienne le principal écono-miste (il en fut évincé plus tard puis reçut le prix Nobel d'économie). Inversement, la stricte application des règles a entraîné les pires résultats, ainsi en Amérique latine. Ce sont là des faits reconnus, en particulier par José Antonio Ocampo, directeur de l'ECLAC (Economic Commission for Latin America and the Caribbean). Il y a un an, lors d'un discours prononcé devant l'American Economic Association, il a ainsi déclaré que « la terre promise est un mirage » ; la crois-sance dans les années 1990 a été très inférieure à celle des trois décennies de la première phase, marquées par un « développement impulsé par l'État ». Il a également noté que la corrélation entre le respect des règles et la nature des résultats s'observait dans le monde entier.

Revenons donc au dilemme aussi profond qu'inquié-tant que nous évoquions : la mondialisation a entraîné une croissance rapide et une grande prospérité, mais aussi des inégalités en raison de l'incompétence de certains. En fait, le dilemme n'existe pas parce que cette croissance est purement mythique.

Nombre d'économistes considèrent que la libéralisation des flux de capitaux a contribué pour beaucoup à la médiocrité des résultats de la phase II. Mais l'économie est chose si complexe et si mal comprise qu'il faut se montrer prudent quand on recherche les causes. L'une des conséquences de cette libéralisation est en tout cas assez claire : elle porte tort à la démocratie. C'est ce qu'avaient compris les inspirateurs des accords de Bretton Woods, et c'est bien pourquoi ils prévoyaient une régulation des capitaux afin de permettre aux gouvernements de mettre en œuvre des politiques social-démocrates, massivement soutenues par leurs populations. La libéralisation des mouvements de capitaux crée ce que l'on a appelé un « Sénat virtuel », disposant d'un « droit de veto » sur les décisions des gouvernements et limitant sévèrement leurs options. Ces derniers affrontent en effet un « double électorat », celui des citoyens et celui des spéculateurs, lesquels « organisent des référendums en temps réel » sur les politiques mises en œuvre (je cite des études techniques du système financier). Et, même dans les pays riches, ce sont eux qui l'emportent.

D'autres aspects de la « mondialisation » des droits des investisseurs ont des conséquences analogues. Les décisions socio-économiques sont de plus en plus souvent confiées à des concentrations de pouvoir qui n'ont pas de comptes à rendre – c'est même une caractéristique essentielle des « réformes » (au sens propagandiste du terme) néo-libérales. On nous prépare sans doute des assauts encore plus soutenus contre la démocratie, sans débats publics, à l'occasion des négociations sur l'AGCS.

Comme vous le savez, dans ce sigle, le terme « services » désigne à peu près tout ce qui devrait faire l'objet de choix démocratiques : la santé, l'éducation, la sécurité sociale, les postes et les télécommunications, l'eau et autres ressources, etc. Le fait de confier de telles activités au secteur privé ne peut en aucune façon être considéré comme un « commerce », mais le terme a été tellement privé de sens que l'on peut accepter qu'il s'applique à une parodie de ce type.

En avril dernier, lors du Sommet des Amériques au Québec, l'immense protestation populaire lancée il y a un an par les cinglés de Porto Alegre était en partie dirigée contre la volonté d'imposer secrètement les principes de l'AGCS à la ZLEA (Zone de libre-échange des Amériques). Ces protestations émanaient de mouvements très divers, du Nord comme du Sud, qui s'opposaient vivement à ce que préparaient, toutes portes closes, les ministres du commerce et les dirigeants des grandes sociétés.

Les manifestants furent dépeints de la manière habituelle : des cinglés qui jettent des pierres et s'en viennent déranger les sorciers qui réfléchissent aux grands problèmes. Il est tout à fait remarquable que, dans le même temps, leurs préoccupations réelles aient été totalement passées sous silence. Anthony DePalma écrit ainsi dans le *New York Times* que l'AGCS « n'a suscité aucune des controverses qui ont accompagné les tentatives [de l'OMC] pour promouvoir le commerce des marchandises », même après Seattle. En fait, l'accord constitue depuis des années un souci majeur. Là encore, le journaliste ne cherche pas à nous tromper. Ce qu'il sait des cinglés se limite sans doute à ce qui a pu franchir le filtre des médias ; et c'est une loi d'airain du journalisme que les véritables inquiétudes des militants doivent être tues afin de présenter ceux-ci comme des gens qui jettent des pierres – et, parfois, sont des provocateurs de la police.

Qu'il soit important de priver l'opinion publique d'informations, voilà ce que le sommet d'avril a révélé de manière spectaculaire. Aux États-Unis, toutes les salles de rédaction avaient à leur disposition deux études importantes, publiées à l'occasion de la rencontre : l'une de Human Rights Watch, l'autre de l'Economic Policy Institute de Washington – organisations qui ne sont pas exactement inconnues. Les deux rapports analysaient en profondeur les effets de l'ALENA, salué lors du sommet comme un véritable triomphe et un modèle pour la ZLEA – les gros titres des journaux rapportaient les éloges qu'en faisaient George Bush et bien d'autres, comme autant de vérités d'Évangile. Les deux études, quant à elles, furent escamotées de manière à peu près générale. Il est facile de comprendre pourquoi. Celle de Human Rights Watch détaillait les effets du traité sur les droits syndicaux et concluait qu'ils avaient été délétères dans les trois pays concernés. Celle de l'EPI était plus étendue : des économistes y observaient les conséquences de l'ALENA sur les travailleurs, et déclaraient que c'était l'un des rares accords à avoir porté tort à la majorité de la population, là encore dans les trois pays signataires.

Au Mexique, les conséquences étaient particulièrement graves, surtout pour le Sud. Depuis l'imposition, dans les années 1980, des programmes néo-libéraux, les salaires avaient fortement baissé. La chute s'est poursuivie après la signature de l'ALENA : les travailleurs salariés ont subi une perte de revenus de 24 % – 40 % pour les travailleurs indépendants –, effet encore amplifié par l'augmentation rapide du nombre des travailleurs non salariés. Les investissements étrangers se sont accrus, mais le total des investissements a diminué, tandis que l'économie passait aux mains des multinationales étrangères. Le salaire minimal a perdu la moitié de son pouvoir d'achat. La production manufacturière a baissé, le développement a stagné – peut-être même s'est-il inversé. Mais une mince couche sociale est devenue extrêmement riche, et les investisseurs étrangers ont prospéré.

Ces deux travaux confirmaient ce que la presse d'affaires et les études universitaires avaient rapporté. Le *Wall Street Journal* annonça que si, à la fin des années 1990, l'économie mexicaine avait connu une croissance rapide – après une chute brutale suite à la signature de l'ALENA –, le pouvoir d'achat des consommateurs avait chuté de 40 %, phénomène touchant aussi ceux qui travaillaient sur les chaînes de montage des sociétés étrangères, et le nombre de gens vivant dans la plus extrême pauvreté avait crû deux fois plus vite que la population. Une étude de la section latino-américaine du Woodrow Wilson Center parvenait à des conclusions du même ordre : le pouvoir économique s'était fortement concentré, les petites entreprises mexicaines ne pouvaient obtenir de financements, la paysannerie traditionnelle déclinait, et les secteurs recourant à une main-d'œuvre importante (agriculture, industrie légère) ne pouvaient concurrencer, sur les marchés internationaux, ce que la doctrine appelle la « libre entreprise ». L'agriculture a ainsi beaucoup souffert, pour les raisons habituelles : les paysans ne peuvent rivaliser avec l'agro-alimentaire américain, soutenu par de fortes subventions.

Tout cela avait été prédit par les critiques de l'ALENA, notamment par l'OTA et les syndicats. Ils s'étaient seulement trompés sur un point précis. La plupart d'entre eux s'attendaient à un fort exode rural, des centaines de milliers de paysans étant chassés des campagnes, mais il ne s'est pas produit. Il semble que les choses se soient également à ce point aggravées dans les villes que nombre de leurs habitants les ont quittées, en partie pour se diriger vers les États-Unis. Ceux qui survivent – pas tous – au franchissement clandestin de la frontière y travailleront pour des salaires très faibles et dans des conditions épouvantables. La conséquence de tout cela, ce sont des vies et des communautés détruites au Mexique, tandis que l'économie américaine en profite : comme le souligne l'étude du Woodrow Wilson Center, « la consommation des classes moyennes urbaines continue à être financée par l'appauvrissement des travailleurs agricoles, au Mexique comme aux États-Unis ».

Tels sont les coûts de l'ALENA, et plus généralement de la mondialisation néo-libérale, que les économistes préfèrent souvent ne pas évaluer. Mais même en utilisant des normes de calcul fortement idéologisées, on constate qu'ils sont très élevés.

Aucune de ces observations ne fut autorisée, lors du sommet, à gâcher la célébration de l'ALENA et de la ZLEA. Dans leur grande majorité, les gens ne connaissent de ces questions que ce qui se rapporte à leur propre existence, à moins qu'ils ne soient en contact avec des organisations militantes. La presse libre les protégeant avec soin de la réalité, beaucoup d'entre eux ont l'impression d'être des ratés, incapables de prendre part au plus grand boom économique de l'Histoire.

Les données en provenance du pays le plus riche du monde sont très éclairantes, mais je passerai sur les détails : elles généralisent le constat, avec bien sûr diverses variations, et des exceptions déjà signalées. Le tableau est en tout cas bien plus inquiétant quand nous

nous écartons des méthodes de mesure économique standard. Les menaces contre la survie de l'humanité auxquelles j'ai déjà fait allusion, implicites dans le raisonnement des planificateurs militaires, sont l'un des coûts de la mondialisation, mais il y en a bien d'autres. Pour n'en citer qu'un, le Bureau international du travail a signalé une « épidémie mondiale » de graves troubles mentaux, souvent liés au stress éprouvé sur les lieux de travail, phénomène à l'origine d'importantes dépenses fiscales dans les pays industrialisés. Le BIT conclut que la « mondialisation » en est pour une large part responsable parce qu'elle entraîne « une perte de la sécurité de l'emploi », de fortes pressions sur les travailleurs et une charge de travail accrue, notamment aux États-Unis. Mais peut-on vraiment parler de coût ? Après tout, d'un certain point de vue, c'est l'une des caractéristiques les plus aguichantes de la mondialisation. Qualifiant d'« extraordinaires » les performances économiques américaines, Alan Greenspan soulignait tout particulièrement l'importance de ce sentiment d'insécurité, qui permet aux employeurs de réduire les frais de main-d'œuvre. La Banque mondiale est bien d'accord là-dessus et reconnaît que « la flexibilité du marché du travail » a « mauvaise réputation […], on y voit un euphémisme désignant la baisse des salaires et le licenciement des ouvriers » ; néanmoins, « elle est essentielle dans toutes les régions du monde […]. Les réformes les plus importantes impliquent une levée des restrictions sur la mobilité de la main-d'œuvre et une plus grande flexibilité des salaires, ainsi que la rupture des liens entre les services sociaux et les contrats de travail ». En bref, selon l'idéologie dominante, le licenciement des ouvriers et la réduction des salaires sont autant de contributions cruciales à la santé de l'économie.

La dérégulation du commerce a d'autres avantages pour les grandes sociétés. En fait, le « commerce » est en grande, et peut-être en majeure partie, géré de manière centralisée grâce à divers dispositifs : transferts entre firmes, alliances stratégiques, délocalisations, etc. L'extension des zones commerciales profite aux grandes sociétés en les rendant de moins en moins responsables de leurs actions vis-à-vis des communautés locales et nationales. Cela renforce les effets des programmes néo-libéraux, qui ont régulièrement réduit la part de la main-d'œuvre dans les revenus. Aux États-Unis, dans les années 1990, pour la première fois depuis la guerre, la répartition des revenus a fortement avantagé les possesseurs de capital aux dépens des travailleurs. Le commerce implique par ailleurs de nombreux coûts dissimulés : subventions à l'énergie, épuisement des ressources et autres facteurs extérieurs jamais pris en compte. Il comporte aussi des avantages, encore qu'en ce domaine il faille se montrer prudent : le plus souvent célébré est qu'il encourage la spécialisation, qui en fait réduit du même coup les choix disponibles, dont la possibilité de modifier les avantages comparatifs – c'est ce qu'on appelait autrefois le « développement ». La liberté de choix et le développement sont des valeurs en soi ; les saper a un prix. Si, voilà deux siècles, les colonies américaines avaient été contraintes d'accepter les conditions imposées aujourd'hui par l'OMC, la Nouvelle-Angleterre aurait développé l'avantage dont elle disposait – l'exportation de poisson –, mais certainement pas, par exemple, sa production textile, qui ne survécut que grâce à des droits de douane exorbitants destinés à tenir à l'écart de son marché les produits anglais – la Grande-Bretagne fit d'ailleurs de même en Inde. Même chose pour la sidérurgie et d'autres secteurs industriels, et ce jusqu'à aujourd'hui, y compris pendant les années Reagan, particulièrement protectionnistes. Et ce sans même parler du secteur étatique de l'économie. Il y aurait beaucoup de choses à dire sur ce sujet, et les historiens de l'économie et de la technologie le savent, bien que des méthodes de mesure très sélectives permettent de laisser dans l'ombre une bonne part de la réalité historique.

Nous en sommes tous conscients ici : les effets délétères des règles du jeu ont toutes les chances de s'aggraver pour les pauvres. Celles de l'OMC interdisent tout recours aux mécanismes grâce auxquels les pays riches sont parvenus à leur stade actuel de développement et instituent au bénéfice des riches un protectionnisme sans précédent, dont un système de brevets qui freine l'innovation et la croissance par de nouveaux moyens et permet aux grandes sociétés d'amasser des profits considérables en fixant des prix de monopole pour des produits souvent développés grâce à de substantielles subventions publiques.

Aux termes de cette version modernisée des mécanismes traditionnels, la moitié des peuples du monde sont de fait en redressement judiciaire, leur politique économique étant gérée par des experts à Washington. Mais, même dans les pays riches, la démocratie est en danger ; les prises de décision, autrefois du ressort des gouvernements – lesquels peuvent au moins se montrer partiellement sensibles à leurs opinions publiques –, sont de plus en plus souvent confiées à des compagnies privées, qui n'ont pas de telles faiblesses. Des slogans cyniques tels que « Faites confiance au peuple » ou « Moins d'État » n'impliquent nullement, dans les circonstances actuelles, un contrôle populaire accru. Ce n'est pas le « peuple » qui va décider, mais ce que l'on a appelé des « entités juridiques collectivistes », qui n'ont guère de comptes à lui rendre et sont totalitaires par essence ; c'est ce que dénonçaient les conservateurs, voilà un siècle, quand ils fustigeaient leur mainmise progressive sur la société américaine.

Les spécialistes de l'Amérique latine, comme les instituts de sondage, constatent depuis quelques années que l'extension de la démocratie formelle s'est accompagnée d'une désillusion croissante envers elle, une « tendance alarmante » et persistante, notent les analystes, qui signalent le lien entre « déclin économique » et « manque de foi » dans les institutions démocratiques (*Financial Times*). Atilio Boron avait remarqué, voilà déjà quelques années, que la vague de démocratisation avait, sur le continent, coïncidé avec les « réformes » économiques néo-libérales, qui ne peuvent que saper la démocratie réelle ; ce phénomène, sous diverses formes, touche le monde entier.

Y compris les États-Unis. Les résultats de l'élection présidentielle de novembre 2000 ont suscité bien des clameurs, mais on s'est également étonné de l'indifférence du grand public. Les sondages d'opinion permettent d'en deviner les raisons. À la veille du scrutin, trois personnes interrogées sur quatre y voyaient essentiellement une farce, un jeu auquel prenaient part contributeurs financiers, dirigeants des partis et industrie des relations publiques, les candidats n'hésitant pas à dire « n'importe quoi pour se faire élire », si bien que l'on ne pouvait guère les croire, même quand leurs propos étaient à peu près intelligibles. Les citoyens étaient incapables de définir l'opinion des deux adversaires sur la plupart des sujets – non qu'ils soient stupides ou n'aient pas essayé, mais parce que les spécialistes des relations publiques l'avaient voulu ainsi. Un projet de l'université Harvard qui étudie les attitudes politiques a découvert que « le sentiment d'impuissance a atteint des sommets inquiétants » : plus de la moitié des sondés déclarent que les gens comme eux ont peu d'influence, voire aucune, sur ce que le gouvernement peut faire – et cette proportion n'a fait que croître tout au long de la période néo-libérale.

Les problèmes sur lesquels l'opinion publique diffère le plus de celle des élites (politiques, économiques, intellectuelles) ne font guère partie des préoccupations de ces dernières, en particulier pour ce qui touche à la politique économique. Le monde des affaires, nous n'en serons pas surpris, est passionnément en faveur d'une « mondialisation » dirigée par les grandes sociétés, d'« accords sur la liberté des investissements », rebaptisés « accords sur la liberté du commerce », de l'ALENA et de la ZLEA, de l'AGCS et d'autres méthodes permettant de concentrer pouvoir et richesse entre les mains de gens qui n'auront pas de comptes à rendre. Le grand animal, ce qui n'a rien d'étonnant non plus, s'y oppose presque instinctivement, sans même connaître certains faits cruciaux qui lui sont soigneusement dissimulés. Il s'ensuit que ces questions ne doivent pas être soulevées lors des campagnes politiques ; d'ailleurs, les médias n'y ont fait aucune allusion lors des élections présidentielles. On aurait cherché en vain dans la presse un examen du prochain Sommet des Amériques ou de la ZLEA, ou la mention de tout autre sujet de première importance pour le grand public. Les électeurs se voyaient plutôt enjoindre de voter pour les « qualités personnelles » des candidats.

Sur la moitié des votants, dans laquelle les riches sont surreprésentés, ceux qui ont compris que leurs intérêts de classes étaient en jeu ont voté pour les défendre – c'est-à-dire, massivement, pour le plus réactionnaire des deux partis, les deux étant soumis aux milieux d'affaires. Mais le grand public s'est divisé, ce qui a conduit à un match nul statistique. Au sein de la population active, des question extérieures à l'économie (contrôle des armes à feu, religion) ont joué un rôle décisif, si bien que beaucoup ont voté contre leurs propres intérêts – partant sans doute de l'idée que de toute façon ils n'avaient pas le choix.

Ce qui reste de la démocratie doit désormais être considéré comme le droit de choisir entre des marchandises. Les dirigeants des milieux d'affaires soulignent depuis longtemps la nécessité d'imposer au grand public une « philosophie de la futilité » et une « vie sans objectif », afin de « concentrer son attention sur des choses superficielles, et notamment sur ce qui est à la mode ». Submergés dès la prime enfance par une telle propagande, les gens pourraient peut-être accepter une existence soumise et dépourvue de sens, et oublier l'idée ridicule de prendre en main leurs propres affaires. Ils abandonneraient leur destin aux sorciers et, dans le domaine politique, aux « minorités intelligentes » auto-proclamées qui servent et administrent le pouvoir.

De ce point de vue, très répandu dans l'élite, notamment tout au long du siècle dernier, les élections de novembre 2000 ne révèlent en rien une carence de la démocratie américaine mais, bien au contraire, marquent son triomphe. Il est donc juste de le saluer dans tout l'hémisphère et ailleurs, même si les peuples voient les choses un peu différemment.

La lutte visant à imposer un tel régime prend bien des formes, mais elle ne s'interrompt jamais, et il en sera ainsi aussi longtemps que de puissantes concentrations de pouvoir demeureront en place. On peut raisonnablement s'attendre à ce que les maîtres exploitent toutes les occasions qui se présenteront – en ce moment, la peur et l'anxiété suscitées par les attentats terroristes, un problème sérieux pour l'Occident maintenant que, avec les nouvelles technologies disponibles, il a perdu son quasi-monopole de la violence, conservant seulement une énorme prépondérance.

Mais rien n'oblige à accepter ces règles, et ceux qui se soucient de l'avenir du monde et de ses peuples emprunteront sans doute des voies bien différentes. Les luttes populaires contre une « mondialisation » des droits des investisseurs, surtout dans le Sud, ont influencé la rhétorique, et jusqu'à un certain point les pratiques, des maîtres de l'univers, qui s'en inquiètent et sont sur la défensive. Ces mouvements populaires sont sans précédent par leur ampleur, la diversité de ceux qu'ils regroupent et l'étendue de la solidarité internationale : la présente réunion en est une illustration particulièrement importante. L'avenir est très largement entre leurs mains ; on ne saurait sous-estimer les enjeux.

I

Le néo-libéralisme
et l'ordre mondial

Les deux sujets mentionnés dans le titre de ce chapitre ont une grande importance pour la vie humaine mais restent mal compris. Afin de les traiter judicieusement, il nous faut d'abord séparer doctrine et réalité, ce qui révèle souvent un fossé considérable.

Le terme « néo-libéralisme » suggère un système de principes à la fois nouveaux et inspirés des idées libérales classiques : Adam Smith en est révéré comme le saint patron. Ce corpus doctrinal est aussi appelé « consensus de Washington », ce qui évoque l'idée d'un ordre mondial. Un examen plus attentif montre que cette référence à l'ordre mondial est assez exacte, mais pas le reste. Les doctrines n'ont rien de nouveau, et leurs hypothèses de base sont très éloignées de celles qui ont animé la tradition libérale à partir des Lumières.

Le consensus de Washington

Ce consensus néo-libéral est un ensemble de principes guidés par le marché, conçu par le gouvernement américain et les institutions financières internationales et mis en œuvre par eux de différentes manières – souvent sous forme de programmes d'ajustement structurel très stricts à l'intention des sociétés les plus vulnérables. En bref, les règles de base consistent à libéraliser le commerce et la finance, à laisser les marchés fixer les prix, à mettre un terme à l'inflation (la « stabilité macro-économique ») et à privatiser. L'État doit « rester à l'écart » – et donc (conclusion implicite) la population aussi, dans la mesure où il est démocratique. Les décisions prises par ceux qui imposent ce « consensus » ont naturellement un impact de grande ampleur sur l'ordre mondial. Certains analystes adoptent une position beaucoup plus tranchée. La presse économique internationale a parlé de ces institutions comme du noyau d'un « gouvernement mondial de facto » d'un « âge impérial nouveau ».

Exacte ou non, cette description nous rappelle que les appareils d'État ne sont pas des agents indépendants, mais reflètent la distribution du pouvoir dans la société. C'est là un truisme, au moins depuis Adam Smith, qui faisait remarquer qu'en Angleterre « les principaux architectes » de la politique étaient « des marchands et des industriels » utilisant le pouvoir d'État pour servir leurs propres intérêts, si « affreux » qu'en soit l'effet sur les autres, y compris le peuple anglais. Le souci de Smith était « la richesse des nations », mais il comprenait bien que l'« intérêt national » était en grande partie une illusion : au sein de la nation existent de vifs conflits d'intérêts, et pour comprendre la politique et ses retombées il nous faut nous demander où se trouve le pouvoir et comment on l'exerce – ce que, plus tard, on en vint à appeler l'« analyse des classes ».

Les « principaux architectes » du consensus de Washington néo-libéral sont les maîtres du secteur privé, pour l'essentiel de très grosses sociétés qui dominent une bonne part de l'économie internationale et ont les moyens de contrôler la définition de la politique, ainsi que la structuration de la pensée et de l'opinion. Les États-Unis jouent, pour des raisons évidentes, un rôle particulier dans le système. Pour reprendre les termes de Gerald Haines, historien spécialiste de la diplomatie et de la CIA : « Après la Seconde Guerre mondiale, les États-Unis, pour défendre leurs propres intérêts, ont assumé la responsabilité du bien-être du monde capitaliste. » Haines se préoccupe ici de ce qu'il appelle « l'américanisation du Brésil », mais seulement à titre de cas spécifique. Et sa formule est suffisamment exacte.

Les États-Unis étaient la première puissance économique mondiale bien avant la guerre de 1939-1945, pendant laquelle ils ont continué de prospérer tandis que leurs rivaux étaient gravement affaiblis. L'économie de guerre américaine, coordonnée par l'État, finit par surmonter la Grande Dépression des années 1930. À la fin du conflit, les États-Unis détenaient déjà la moitié des richesses mondiales, et un pouvoir sans précédent dans l'Histoire. Naturellement, les « principaux architectes » comptaient s'en servir pour édifier un système mondial conforme à leurs intérêts.

Certains des documents circulant dans les cercles les plus élevés du pouvoir décrivaient la principale menace pesant contre ces intérêts, notamment en Amérique latine : les régimes « nationalistes » et « radicaux » sensibles aux pressions populaires réclamant « une amélioration immédiate des médiocres conditions de vie des masses » et un développement orienté vers la satisfaction des besoins intérieurs. Ces revendications entraient en conflit avec l'exigence de création d'un « climat économique et politique réceptif aux investissements privés », permettant une expatriation adéquate des profits et la « protection de nos matières premières » –

les nôtres, même si elles étaient situées ailleurs. C'est pour de telles raisons que George Kennan, « architecte » influent, conseilla de « cesser de parler d'objectifs aussi vagues et irréalistes que les droits de l'homme, l'élévation du niveau de vie et la démocratie », pour « traiter selon des concepts de pouvoir à l'état pur » qui ne seraient pas « entravés par des slogans idéalistes » sur « l'altruisme et le bien-être du monde » – bien que l'usage de tels slogans soit recommandé, et même obligatoire, dans les discours tenus en public. (Je cite ici des archives secrètes, en principe désormais disponibles mais qui restent peu connues du grand public et des intellectuels.)

Le « nationalisme radical » est intolérable en soi, mais il représente également une plus large « menace pour la stabilité » – autre formule au sens bien particulier. En 1954, alors que Washington se préparait à renverser le gouvernement démocratique du Guatemala*, un responsable du Département d'État déclara que ce pays était « devenu une menace croissance pour la stabilité du Honduras et du Salvador. Sa réforme agraire constitue une puissante arme de propagande ; son programme social très large, qui entend aider les travailleurs et les paysans dans une lutte victorieuse contre les classes supérieures et les grandes entreprises étrangères, exerce un vif attrait sur les populations des pays voisins, où prévalent des conditions similaires ». La « stabilité » était en fait synonyme de sécurité pour

---

* Jacobo Arbenz fut renversé cette année-là par une petite armée de mercenaires, entièrement recrutée et organisée par la CIA, parce qu'il comptait exproprier la société américaine United Fruit Company, qui possédait d'immenses plantations au Guatemala (*NdT*).

« les classes supérieures et les grandes entreprises étrangères », dont il fallait préserver le bien-être.

De telles menaces contre le « bien-être du système capitaliste mondial » justifièrent ainsi la terreur et la subversion dès lors qu'il s'agissait de rétablir la « stabilité ». L'une des premières tâches de la CIA fut, en 1948, de prendre part à un effort de grande ampleur visant à saper la démocratie italienne alors que l'on craignait que les élections n'y donnent de mauvais résultats ; une intervention militaire directe était prévue au cas où la subversion échouerait. Il s'agissait bien sûr de « stabiliser l'Italie ». Mais le maintien de la « stabilité » exigeait parfois des opérations de « déstabilisation ». Ainsi, le rédacteur de la revue quasi officielle *Foreign Affairs* expliqua un jour que Washington devait « déstabiliser un gouvernement marxiste librement élu au Chili », étant « bien décidé à rechercher la stabilité ». Lorsqu'on est bien éduqué, on peut venir à bout d'une contradiction apparente.

Les régimes nationalistes menaçant cette « stabilité » sont parfois décrits comme autant de « pommes pourries » susceptibles de « gâter celles qui sont saines », ou comme des « virus » qui pourraient « infecter » les autres. L'Italie de 1948 en est un bon exemple. Vingt-cinq ans plus tard, Henry Kissinger décrivait ainsi le Chili comme un « virus » qui pourrait donner de mauvaises idées en matière de changement social, infecter d'autres pays – et ce jusqu'à l'Italie, toujours pas « stabilisée », en dépit d'années d'efforts subversifs de la CIA. Il faut donc détruire ces virus et protéger les autres pays de l'infection : dans un cas comme dans l'autre, la violence est souvent le moyen le plus efficace, laissant derrière elle une horrible traînée de sang : massacres, terreur, torture, dévastation.

Chaque partie du monde se vit assigner un rôle spécifique dans la planification d'ensemble élaborée secrètement après la guerre : la « fonction principale » de l'Asie du Sud-Est était de fournir des matières premières aux puissances industrielles, l'Afrique devait être « exploitée » par l'Europe en voie de convalescence, et ainsi de suite.

En Amérique latine, Washington comptait être en mesure d'appliquer la doctrine de Monroe*, mais, là encore, dans un sens bien particulier. Le président Wilson, si célèbre pour son idéalisme et la grandeur de ses principes moraux, reconnut en privé qu'en la défendant « les États-Unis prenaient en compte leurs propres intérêts ». Ceux des Latino-Américains étaient purement « accessoires » et ne devaient pas nous préoccuper. Il admit que « cela [pouvait] sembler reposer sur le seul égoïsme », mais soutenait que la doctrine « n'avait pas de motivation plus élevée ou plus généreuse ». Les États-Unis devaient chercher à déloger leurs rivaux traditionnels, l'Angleterre et la France, et créer une alliance régionale qu'ils contrôleraient et qui resterait distincte du système mondial, où de tels arrangements n'étaient pas permis.

En février 1945, une conférence intercontinentale permit de clarifier les « fonctions » de l'Amérique latine : Washington y proposa une « Charte économique des Amériques » qui permettrait d'éliminer le nationalisme économique « sous toutes ses formes ». Les responsables américains se rendaient bien compte qu'il leur serait difficile d'imposer de tels principes. Les

---

* Énoncée en 1823 par James Monroe, cinquième président des États-Unis, cette doctrine entend s'opposer à toute interférence extérieure sur les deux continents américains (*NdT*).

documents du Département d'État les mettaient en garde : les Latino-Américains préféraient « des politiques conçues pour favoriser une plus large distribution des richesses et l'élévation du niveau de vie des masses », et étaient « convaincus que les premiers bénéficiaires du développement des ressources d'un pays devaient être son peuple ». De telles idées étaient inacceptables : les « premiers bénéficiaires » devaient être les investisseurs américains, l'Amérique latine remplissant ses fonctions de prestataire de services sans se préoccuper de l'intérêt général ou d'un « développement industriel excessif », soucis déraisonnables qui pouvaient porter tort aux intérêts américains.

Les États-Unis l'emportèrent, bien qu'au cours des années suivantes il y ait eu quelques problèmes, qui furent traités d'une manière qu'il m'est inutile de décrire.

L'Europe et le Japon s'étant relevés après les dévastations de la guerre, l'ordre mondial prit une forme tripolaire. Les États-Unis conservèrent leur position dominante, tout en se heurtant à de nouveaux défis, dont la concurrence européenne et asiatique en Amérique du Sud. Les changements les plus importants remontent à vingt-cinq ans, quand l'administration Nixon démantela le système économique mondial mis en place après la guerre, dans lequel les États-Unis tenaient un rôle de banquier qu'ils n'étaient plus en mesure d'assumer. Ce geste unilatéral (certes exécuté avec la coopération des autres puissances) mena à une énorme explosion des flux de capitaux, désormais dérégulés. Plus frappant encore, leur composition même changea. En 1971, 90 % des transactions financières concernaient l'économie réelle – commerce ou investissements à long terme –, le reste étant spéculatif. En 1990, le pourcentage s'était inversé, et en 1995 95 % (c'est-à-dire des sommes énormes) n'avaient pour but que la spéculation, avec des flux quotidiens excédant les réserves cumulées de devises des sept plus grandes puissances industrielles : plus d'un milliard de dollars chaque jour, le tout à très court terme, près de 80 % faisant des allers et retours en une semaine ou moins.

Il y a vingt ans, des économistes éminents avaient tiré la sonnette d'alarme : un tel processus conduirait à une conjoncture de faible croissance et de bas salaires. Ils proposaient des mesures assez simples pour l'éviter. Mais les « principaux architectes » du consensus de Washington préférèrent ne voir que les effets prévisibles, notamment des profits très élevés, effets dont l'impact fut encore accru par la montée brutale (mais à court terme) des prix du pétrole, ainsi que par la révolution des télécommunications – deux phénomènes liés à l'énorme secteur d'État de l'économie américaine, sur lequel je reviendrai.

Les États dits « communistes » restaient en dehors de ce système mondial, mais la Chine y fut réintégrée dès les années 1970. L'économie soviétique avait commencé à stagner dès la décennie précédente, et le système, pourri jusqu'à la moelle, s'effondra vingt ans plus tard. Aujourd'hui, la région retourne largement à son ancien statut : des secteurs faisant partie de l'Occident le rejoignent, tandis que la plus grande part rentre dans son rôle traditionnel de prestataire de services sous la domination d'ex-bureaucrates communistes et d'associés locaux des entreprises étrangères, voire de syndicats du crime. C'est là un modèle habituel dans le Tiers Monde, comme d'ailleurs ses résultats. Une enquête menée par l'UNICEF en 1993 estimait que, dans la seule Russie, les « réformes » néo-libérales, que cette agence de l'ONU soutient généralement, entraînaient 500 000 décès supplémentaires par an. Le responsable de la politique sociale russe, quant à lui, estimait récemment que 25 % de la population étaient tombés en dessous du niveau de survie, alors que les nouveaux dirigeants ont acquis des fortunes énormes – effet courant de la dépendance envers l'Occident.

Tout aussi familières sont les conséquences de la violence à grande échelle visant à assurer « le bien-être du système capitaliste mondial ». Il y a peu, une conférence de jésuites tenue au Salvador a fait remarquer qu'au fil du temps « la culture de la terreur provoque la domestication des espérances de la majorité ». Les gens ne peuvent même plus songer à « des solutions autres que celles des puissants », aux yeux desquels de tels résultats constituent une grande victoire pour la liberté et la démocratie.

Ce sont là certains des contours de l'ordre mondial au sein duquel le consensus de Washington a été forgé.

Nouveauté du néo-libéralisme

Examinons de plus près le caractère de nouveauté du néo-libéralisme. Une récente publication du Royal Institute of International Affairs de Londres, qui regroupe des articles traitant des principaux problèmes actuels, nous fournira un bon point de départ. L'un de ces textes est consacré à la politique du développement. Son auteur, Paul Krugman, est un économiste réputé. Il souligne cinq points essentiels, qui concernent directement notre sujet :

1) la connaissance réelle du développement économique reste très limitée. Aux États-Unis, par exemple,

deux tiers de l'augmentation des revenus *per capita* demeurent inexpliqués. Les réussites économiques des pays d'Asie ont, pareillement, suivi des chemins qui ne se conforment aucunement à ce que « l'orthodoxie actuelle déclare être la clé du succès ». Krugman recommande de définir les politiques avec « humilité » et met en garde contre les « généralisations hâtives » ;

2) on met sans cesse en œuvre des conclusions médiocrement étayées, qui fournissent un support doctrinal à ces politiques : le consensus de Washington en est un bon exemple ;

3) l'« opinion reçue » est chose instable, elle change régulièrement et va parfois jusqu'à se contredire – bien que ses avocats témoignent chaque fois de la même assurance lorsqu'ils imposent la dernière orthodoxie en date ;

4) on convient généralement, en regardant le passé, que les politiques de développement économique « n'ont pas servi leur objectif explicite » et qu'elles reposaient sur « de mauvaises idées » ;

5) on fait généralement valoir que « ces mauvaises idées ont prospéré parce qu'elles servaient les intérêts de groupes puissants. Il ne fait aucun doute que c'est bien le cas ».

Déclarer qu'il en va ainsi est un lieu commun au moins depuis Adam Smith. Et cela se produit avec une constance impressionnante, même dans les pays riches, bien que le Tiers Monde nous fournisse les exemples les plus cruels.

Voilà le cœur du problème : les « mauvaises idées » peuvent ne pas « servir leur objectif explicite », mais elles se révèlent excellentes pour leurs « principaux architectes ». L'ère moderne a été le théâtre de nombreuses expériences de développement économique, avec des régularités qu'il est difficile d'ignorer. L'un de leurs enseignements est que les « architectes » s'en tirent très bien, tandis que les sujets de l'expérience sont souvent les grands perdants.

La première grande expérience de ce type fut menée il y a deux cents ans, quand les Britanniques, devenus maîtres de l'Inde, instituèrent en 1793 un « Accord permanent » qui allait faire des merveilles. Quarante ans plus tard, une commission officielle en étudia les résultats : elle conclut que « l'accord, élaboré avec beaucoup de soin et de réflexion, avait malheureusement soumis les classes inférieures à l'oppression la plus cruelle ». D'où une misère qui avait « peu d'équivalents dans l'histoire du commerce », puisque « les ossements des tisserands de coton blanchiss[ai]ent les plaines indiennes ».

Pour autant, on ne pouvait guère se contenter de considérer que l'expérience était un échec. Le gouverneur général de l'Inde fit observer que « l'"Accord permanent", bien qu'ayant, à certains égards, connu une faillite complète de ses espérances les plus fondamentales, présentait au moins ce grand avantage d'avoir permis la création de riches propriétaires terriens intéressés à la poursuite de la domination britannique et ayant un contrôle total sur la masse du peuple ». Autre bénéfice : les investisseurs anglais avaient amassé une richesse considérable. L'Inde finançait par ailleurs 40 % du déficit commercial de la Grande-Bretagne, tout en fournissant un marché protégé pour ses exportations et des travailleurs sous contrat pour les possessions des colons (en remplacement des anciennes populations serviles) ; sans oublier l'opium, produit de base des exportations anglaises en Chine. Celle-ci se vit d'ailleurs imposer ce dernier commerce de force, et non par l'effet de la « liberté des marchés » – tout comme on oublia les principes sacrés du marché quand l'opium fut interdit en Angleterre même.

En bref, cette première grande expérience fut une « mauvaise idée » pour ceux qui la subirent, mais pas pour ses « principaux architectes » ni pour les élites locales qui leur étaient associées. Le modèle est le même aujourd'hui : les profits d'abord, les peuples ensuite. La constance du phénomène n'est pas moins impressionnante que la rhétorique saluant la dernière vitrine en date de la démocratie et du capitalisme comme « un miracle économique », ou ce qu'elle dissimule, comme le cas du Brésil, par exemple. Dans l'histoire de l'américanisation du Brésil que j'ai déjà mentionnée, Gerald Haines écrit qu'à partir de 1945 les États-Unis ont fait de ce pays « un terrain d'expérimentation pour des méthodes scientifiques modernes de développement industriel, reposant fermement sur le capitalisme ». L'expérience fut menée avec « les meilleures intentions du monde » ; les investisseurs en étaient les bénéficiaires, mais ses responsables « croyaient sincèrement » que les Brésiliens en tireraient également profit. Je ne décrirai pas ce qui leur arriva quand leur pays, soumis à la dictature militaire, devint « le chouchou latino-américain de la communauté d'affaires internationale », pour reprendre la formule de la presse économique, alors même que la Banque mondiale faisait savoir que deux tiers de la population n'avaient pas suffisamment de quoi se nourrir pour mener une activité normale.

Écrivant en 1989, Haines décrit « la politique brésilienne des États-Unis » comme « un énorme succès », « un véritable triomphe à l'américaine ». Aux yeux du monde des affaires, 1989 fut « l'année de rêve » : les profits triplèrent par rapport à 1988, tandis que les salaires industriels, qui comptaient déjà parmi les plus bas du monde, chutaient encore de 20 %. Un rapport de l'ONU sur le développement humain plaçait le Brésil au même rang que l'Albanie. Quand le désastre finit par toucher aussi les riches, les « méthodes scientifiques modernes de développement reposant fermement sur le capitalisme » devinrent brusquement autant d'exemples des maux que représentaient l'étatisme et le socialisme – encore un de ces changements de position éclair auxquels on assiste chaque fois que c'est nécessaire.

Pour apprécier l'ampleur de la réussite, il faut se souvenir que le Brésil est depuis longtemps considéré comme l'un des pays les plus riches du monde, pourvu d'énormes avantages, au nombre desquels un demi-siècle de domination et de bienveillante tutelle américaines n'ayant pour but, une fois de plus, que de servir les intérêts des privilégiés en laissant dans la misère la majorité de la population.

Le Mexique est le plus récent exemple de cette attitude. Il fut vivement loué tant qu'il resta un brillant élève maîtrisant les règles du consensus de Washington, et érigé en modèle pour les autres – cela pendant que les salaires s'effondraient, que la pauvreté croissait presque aussi rapidement que le nombre de milliardaires et que s'y déversaient des capitaux étrangers en grande partie spéculatifs ou destinés à l'exploitation d'une main-d'œuvre bon marché, tenue en lisière par une « démocratie » des plus brutales. L'effondrement du château de cartes en décembre 1994 fut un événement tout à fait familier. Aujourd'hui, la moitié de la population mexicaine ne peut pas même satisfaire ses besoins alimentaires de base, tandis que l'homme qui contrôle le marché du maïs est toujours sur la liste des milliardaires locaux – catégorie sociale pour laquelle le Mexique est très bien classé.

Des changements intervenus dans l'ordre mondial ont aussi permis l'application aux États-Unis d'une variante du consensus de Washington. Les salaires de la majorité de la population stagnent ou déclinent depuis quinze ans, de même que les conditions de travail et la sécurité de l'emploi, et ce malgré la reprise économique – phénomène sans précédent. Les inégalités sociales ont atteint des niveaux jamais connus depuis soixante-dix ans, bien au-delà de ce que l'on observe dans les autres pays développés. Les États-Unis ont la pauvreté infantile la plus élevée de tous les pays industriels, juste avant le reste du monde anglophone. Et il en est ainsi pour d'autres maladies que l'on trouve habituellement dans le Tiers Monde. Pendant ce temps, la presse d'affaires est à court d'adjectifs enthousiastes pour décrire la croissance « éblouissante » et « stupéfiante » des profits, tout en admettant que les riches, à leur tour, se trouvent confrontés à un problème, résumé par un gros titre de *Business Week* : « Et maintenant, que faire de tout cet argent ? ». Il faut trouver un emploi à « des profits déferlants » qui « inondent les coffres de l'Amérique des grandes entreprises », tandis que les dividendes montent en flèche.

Les profits restent « spectaculaires » en 1996, avec une « remarquable » croissance pour les plus grandes sociétés de la planète, bien que, comme l'ajoute benoîtement *Business Week*, « il y ait un secteur qui n'a pas beaucoup crû : celui des salaires ». Cette exception concerne aussi les compagnies qui ont « connu une année magnifique » et des « profits montant en flèche », ce qui ne les a pas empêchées de réduire la main-d'œuvre, de recourir à des travailleurs à temps partiel sans aucune sécurité de l'emploi, et de se comporter par ailleurs très exactement comme on pouvait s'y attendre compte tenu de « la nette sujétion du travail au capital depuis quinze ans », pour reprendre une autre formule de la presse économique.

Disparités de développement

L'histoire nous propose d'autres leçons. Au XVIIIe siècle, les différences entre monde développé et Tiers Monde étaient bien moindres qu'aujourd'hui. Cela signifie que certains pays se sont développés et d'autres pas. Deux questions évidentes se posent aussitôt : 1) Quels sont ces pays ? 2) Peut-on tenter d'identifier quelques-unes des raisons qui expliquent de telles disparités dans le développement ?

La réponse à la première question est assez claire. Outre l'Europe occidentale, deux grandes régions se sont développées, les États-Unis et le Japon – les seules à avoir échappé au colonialisme européen. Les colonies nippones constituent un autre problème : le Japon, s'il fut une puissance coloniale brutale, prit soin, plutôt que de les voler purement et simplement, de les développer à peu près au même rythme que lui-même.

Qu'en est-il de l'Europe de l'Est ? Le continent européen commença à se diviser au XVe siècle : sa partie occidentale se développa tandis que sa partie orientale devenait son prestataire de services, constituant le premier Tiers Monde. Cette partition s'accentua jusqu'au début du XXe siècle, quand la Russie se retira du système. En dépit des terrifiantes atrocités de Staline et des terribles destructions dues aux guerres, l'Union soviétique connut bel et bien une industrialisation significative. Elle forma, du moins jusqu'en 1989, ce que l'on pourrait appeler le « deuxième monde », qui ne se confondait nullement avec le Tiers Monde.

Nous savons grâce aux archives que, pendant les années 1960, les dirigeants occidentaux redoutaient que la croissance économique russe n'inspire partout un « nationalisme radical », et que d'autres pays ne soient infectés par la maladie dont la Russie avait été frappée en 1917, lorsqu'elle avait décidé de se refuser à « compléter les économies industrielles d'Occident », comme l'avait déclaré en 1955 un prestigieux groupe d'étude consacré au problème du communisme. L'intervention occidentale en 1918 avait donc constitué une action défensive en vue de protéger « le bien-être du système capitaliste mondial », menacé par les bouleversement sociaux survenus dans cette région. C'est bien ainsi qu'elle est décrite par les auteurs respectés.

La logique de la guerre froide nous rappelle les cas de Grenade ou du Guatemala – bien que, survenu à une échelle très différente, le conflit de la guerre froide ait fini par acquérir une dynamique autonome. Il n'est pas surprenant que les modèles traditionnels aient été restaurés après la victoire du plus puissant des deux antagonistes. Il ne faut pas non plus s'étonner que le budget du Pentagone demeure au niveau de ceux de la guerre froide, et ne cesse de croître, puisque la politique internationale de Washington a à peine changé : autant de faits qui nous aident à comprendre un peu mieux les réalités de l'ordre mondial.

Pour en revenir à notre première question, une conclusion au moins paraît claire : le développement a eu lieu sans référence aux « expériences » reposant sur les « mauvaises idées » que nous avons évoquées. Ce n'est pas une garantie de succès, mais cela semble au moins en être une condition préalable.

Passons à la seconde question. Comment l'Europe et ceux qui ont échappé à son contrôle ont-ils réussi à se développer ? Là encore, la réponse semble évidente : en violant radicalement la doctrine de la liberté des marchés. Cela vaut pour toutes les régions, de l'Angleterre à l'Extrême-Orient d'aujourd'hui en passant par les États-Unis eux-mêmes, champions du protectionnisme depuis leurs origines.

L'histoire économique traditionnelle reconnaît que l'intervention de l'État a joué un rôle essentiel dans la croissance économique. Mais son impact est sous-estimé en raison de l'étroitesse du point de vue adopté. Pour ne mentionner qu'une omission, mais de taille, la révolution industrielle a largement reposé sur la disponibilité d'un coton bon marché, pour l'essentiel en provenance des États-Unis, et maintenu à bas prix non par l'effet des forces du marché, mais par l'élimination des populations indigènes et par l'esclavage. Il existait, bien entendu, d'autres producteurs, au premier rang desquels l'Inde. Ses ressources partirent vers l'Angleterre, tandis que son industrie textile, pourtant très avancée, était détruite par le protectionnisme britannique, qui fit usage de la force. L'Égypte est un autre exemple : elle prit des mesures en faveur du développement presque au même moment que les États-Unis, mais ses efforts se virent bloqués par l'Angleterre, qui déclara explicitement ne pas vouloir tolérer un développement économique indépendant dans la région. De son côté, la Nouvelle-Angleterre imposa aux textiles britanniques bon marché des droits de douane aussi élevés que ceux imposés à l'Inde par l'Angleterre. Les historiens de l'économie estiment que, sans de telles mesures, près de la moitié de son industrie textile, alors en voie d'émergence, aurait été détruite, non sans effets de grande ampleur sur la croissance économique américaine.

On peut faire un parallèle avec la situation de l'énergie, sur laquelle reposent les économies industrielles avancées. Depuis la Seconde Guerre mondiale, et notamment pendant l'« âge d'or » du développement, celui-ci dépend de la possibilité de se procurer un pétrole à la fois abondant et bon marché, maintenu tel en grande partie par la menace ou l'usage de la force. Une large part du budget du Pentagone est consacrée au maintien du prix du pétrole moyen-oriental à des niveaux que les États-Unis et leurs compagnies d'énergie jugent appropriés. Je ne connais qu'une seule étude technique sur le sujet : elle conclut que les dépenses du Pentagone équivalent à une subvention de 30 % du prix du marché, en démontrant que « l'idée couramment admise selon laquelle les carburants fossiles sont bon marché est une pure fiction ». Ainsi, toute estimation de la prétendue efficacité du commerce, toute conclusion sur la croissance économique restent d'une validité limitée si nombre des coûts sont dissimulés.

Récemment, un groupe d'économistes japonais renommés a publié, en plusieurs volumes, un examen des programmes de développement économique du Japon depuis la Seconde Guerre mondiale. Ils notent que leur pays commença par rejeter les doctrines néolibérales de ses conseillers américains pour leur préférer une politique industrielle assignant un rôle prédominant à l'État. Les mécanismes du marché furent ensuite progressivement introduits par la bureaucratie étatique et les conglomérats financiers et industriels, à mesure que croissaient les perspectives de succès commercial. Le rejet des préceptes économiques orthodoxes, concluent nos auteurs, fut la condition du « miracle japonais ». Le succès est impressionnant : pratiquement dépourvu de ressources naturelles, le Japon était devenu, en 1990, la plus grande économie manufacturière du monde et la première source d'investissements à l'étranger, tout en représentant la moitié de l'épargne nette mondiale et en finançant le déficit américain.

En ce qui concerne les anciennes colonies japonaises, la principale étude spécialisée, réalisée par la mission d'aide américaine à Taiwan, découvrit que les planificateurs chinois, de même que leurs conseillers américains, avaient repoussé les principes de « l'économie anglo-américaine » pour mettre sur pied une « stratégie centrée sur l'État », s'appuyant sur « la participation active du gouvernement aux activités économiques de l'île par le biais de plans dont il supervisait l'exécution ». Dans le même temps, les responsables américains « vantaient les mérites de Taiwan comme représentant un grand succès de l'entreprise privée ».

L'« État chef d'entreprise » fonctionne différemment en Corée du Sud, mais il y assume le même rôle de guide. Aujourd'hui, on retarde l'entrée du pays à l'OCDE*, le club des riches, en raison de sa répugnance à adopter une politique soumise aux marchés, qui permettrait par exemple aux compagnies étrangères de prendre le contrôle de sociétés locales, et à autoriser la libre circulation des capitaux, suivant en cela l'exemple du Japon, qui a interdit leur exportation tant que son économie n'était pas suffisamment solide.

Dans le numéro d'août 1996 de *Research Observer*, la revue de la Banque mondiale, Joseph Stiglitz, le chef des conseillers économiques de Clinton, tire les « leçons du miracle de l'Extrême-Orient » : l'une d'elles est que « les gouvernements furent les premiers responsables de

---

* Depuis, la Corée du Sud y a été admise (*NdT*).

la promotion de la croissance économique », renonçant à la « religion » prêchée par les marchés et intervenant activement pour accélérer les transferts de technologie, créer un système d'éducation et de santé relativement égalitaire, un appareil de planification et de coordination industrielles. Le rapport de l'ONU sur le développement humain de 1996 souligne l'importance vitale d'une politique gouvernementale « de diffusion des compétences et de satisfaction des besoins sociaux élémentaires » comme « tremplin d'une croissance économique durable ». Il ne fait pas grand doute que les doctrines néo-libérales, quoi qu'on puisse en penser par ailleurs, mettent en danger les secteurs de la santé et de l'éducation, accroissent les inégalités, rognent les revenus du travail.

Un an plus tard, après que l'économie des pays d'Asie eut été victime de crises financières et d'effondrements des marchés, Stiglitz, devenu principal économiste de la Banque mondiale, reprit ses précédentes conclusions (discours programme mis à jour, in *Annual World Bank Conference on Development Economics 1997*, Banque mondiale, 1998, Wider Annual Lectures 2, 1998) : « La crise actuelle en Extrême-Orient n'est pas la réfutation du miracle qu'il a connu, écrivait-il. Le fait fondamental demeure : aucune région au monde n'a vu un accroissement de revenus aussi spectaculaire, ni tant de gens sortir de la pauvreté en aussi peu de temps. » Cette « étonnante réussite » était soulignée par le décuplement, en trente ans, du revenu *per capita* en Corée du Sud, succès sans précédent, marqué par « une forte implication de l'État », en violation du consensus de Washington mais en accord avec le développement économique européen et américain, note à juste titre Stiglitz. « Loin de remettre en cause le miracle économique d'Extrême-Orient »,

72

concluait-il, la « grave agitation financière » en Asie « pourrait bien être, en partie, le résultat de l'abandon des stratégies qui avaient si bien servi ces pays, notamment des marchés financiers minutieusement régulés » – autrement dit l'abandon de stratégies victorieuses, en grande partie sous la pression occidentale. D'autres spécialistes ont émis des opinions semblables, parfois avec plus d'énergie encore*.

Le contraste entre l'Extrême-Orient et l'Amérique latine est frappant. La seconde connaît les pires inégalités du monde, le premier les moins dramatiques. Il en va de même, plus largement, pour l'éducation, la santé et l'assistance sociale. En Amérique latine, les importations sont lourdement orientées vers la consommation des riches, en Extrême-Orient vers l'investissement productif. Sur le continent sud-américain, les fuites de capitaux ont presque atteint le niveau d'une dette par ailleurs écrasante ; en Asie, elles sont restées, jusqu'à une date très récente, étroitement contrôlées. En Amérique latine, les riches sont généralement exempts de toute obligation sociale, impôts compris. Comme le souligne l'économiste brésilien Bresser Pereira, le problème n'y est pas le « populisme », mais « la sujétion de l'État aux riches ». L'Extrême-Orient est très différent de ce point de vue.

Les économies latino-américaines sont également plus ouvertes aux investissements étrangers. Selon le rapport de la CNUCED (Conférence des Nations unies sur le commerce et le développement), les multinationales

---

* Après avoir, sous la pression, démissionné de la Banque mondiale en janvier 2000, Stiglitz a approfondi ses analyses dans *La Grande Désillusion* (Fayard, 2002). Voir en particulier le chapitre sur « La crise asiatique » (*NdT*).

étrangères y « contrôlent une part bien plus grande de la production industrielle » qu'en Asie. La Banque mondiale elle-même concède que les investissements étrangers et les privatisations qui lui sont si chères « ont tendu à se substituer aux autres flux de capitaux » en Amérique latine, transférant à l'étranger contrôle des entreprises et profits. Elle reconnaît aussi que les prix au Japon, en Corée et à Taiwan ont davantage différé de ceux du marché qu'en Inde, au Brésil, au Mexique, au Venezuela et dans d'autres pays supposés interventionnistes, alors que c'est la Chine, emprunteuse préférée et toujours plus gourmande de la Banque, qui s'est montrée, de tous, la plus interventionniste et la plus active en matière de manipulation des prix. Et l'ensemble des études de cette institution consacrées au Chili ont omis de signaler que les mines de cuivre nationalisées du pays constituent l'une de ses principales sources de revenus à l'exportation – cela pour ne citer qu'un exemple parmi bien d'autres.

Il semble donc que l'ouverture à l'économie internationale ait eu un coût important pour l'Amérique latine, de même que son incapacité à contrôler le capital et les riches, et pas seulement la main-d'œuvre et les pauvres. Bien entendu, certaines franges de la population en tirent bénéfice, comme à l'époque coloniale. Qu'elles soient aussi dévouées aux doctrines de la « religion » que les investisseurs étrangers ne devrait pas nous surprendre.

Le rôle de la gestion et de l'initiative de l'État dans les économies prospères devrait nous être familier. Une question apparentée aux deux autres posées plus haut est de savoir comment le Tiers Monde est devenu ce qu'il est aujourd'hui. Dans une étude récente, Paul Bairoch, éminent historien de l'économie, a traité du problème, remarquant qu'« il ne fait aucun doute que le libéralisme économique obligatoire imposé au Tiers Monde au

74

XIXe siècle est un élément essentiel dans l'explication du retard de son industrialisation », tout comme, dans l'exemple très révélateur de l'Inde, le « processus de désindustrialisation » qui a converti l'une des places commerciales et l'un des centres industriels les plus importants du monde en une société agricole appauvrie, non sans s'accompagner d'une chute brutale des salaires réels, de la consommation alimentaire et de la disponibilité des produits de base. Comme le fait observer Bairoch, « l'Inde ne fut que la première victime majeure d'une très longue liste », laquelle comprend « des pays du Tiers Monde politiquement indépendants [mais qui] furent contraints d'ouvrir leurs marchés aux produits occidentaux ». Dans le même temps, les pays d'Occident se protégeaient de la tyrannie des marchés et se développaient.

Les variantes de la doctrine néo-libérale

Ces considérations nous conduisent à évoquer une autre caractéristique importante de l'histoire moderne. La doctrine de la liberté des marchés connaît deux variantes. La première, l'officielle, est imposée à ceux qui ne peuvent se défendre. On pourrait appeler la seconde la « doctrine réellement existante », autrement dit : la rigueur des marchés est bonne pour vous, mais pas pour moi, sauf si cela me procure un avantage temporaire. C'est elle qui règne depuis le XVIIe siècle, époque à laquelle l'Angleterre apparut comme le plus avancé des pays en voie de développement grâce à une augmentation radicale des impôts et à une gestion publique efficace afin d'organiser les activités fiscales et militaires de l'État, lequel, selon l'historien britannique John Brewer, devint « le plus grand acteur de l'économie » et de son extension dans le monde.

La Grande-Bretagne finit par passer à l'internationa-lisme libéral... en 1846, après qu'un siècle et demi de protectionnisme, de violence et de pouvoir d'État l'eut placée loin devant ses rivaux. Mais cette conversion au marché s'accompagnait d'importantes réserves. Quarante pour cent de la production textile anglaise étaient toujours dirigés vers l'Inde, désormais colonisée, et il en allait de même pour les autres exportations britanniques. L'acier produit en Grande-Bretagne se vit imposer en Amérique des droits de douane élevés, qui permirent aux États-Unis de développer leur propre industrie sidérur-gique – l'acier britannique, trop cher, finit par disparaître des marchés internationaux, mais l'Inde et les colonies de l'Empire lui demeurèrent accessibles. Le cas de l'Inde est très instructif : au XVIIIe siècle, elle produisait autant de fer que toute l'Europe réunie, et en 1820 encore des ingénieurs anglais étudiaient ses techniques de production de l'acier, très avancées, afin de combler le « fossé technologique ». Quand eut lieu le boom des chemins de fer, Bombay fut en mesure de produire des locomotives à des tarifs compétitifs. Mais la « doctrine réellement existante » de la liberté des marchés détruisit ces secteurs industriels indiens, ainsi que ceux du textile ou de la construction navale, qui, selon les normes de l'époque, étaient très avancés. Les États-Unis et le Japon, eux, ayant échappé au contrôle de l'Europe, purent reprendre le modèle britannique d'intervention étatique sur les marchés.

Quand la concurrence japonaise devint trop difficile à gérer, l'Angleterre se contenta d'abandonner la partie : l'Empire fut efficacement fermé aux exportations nippones, ce qui fut l'un des facteurs de déclenchement de la Seconde Guerre mondiale. Au même moment, les industriels indiens demandaient à être protégés... non du Japon, mais de la Grande-Bretagne. Bien entendu, sous le règne de la « doctrine réellement existante », leurs vœux ne furent pas exaucés.

Abandonnant dans les années 1930 cette version étriquée du « laisser-faire », le gouvernement britannique entreprit d'intervenir plus directement dans l'économie du pays. En quelques années, la production de machines-outils fut multipliée par cinq, tandis qu'on assistait à un boom de la chimie, de l'acier, de l'aviation et de tout un éventail d'industries nouvelles ; ce fut, comme l'écrit l'analyste économique Will Hutton, « une phase nouvelle et méconnue de la révolution industrielle ». Cette industrie sous contrôle étatique permit à la Grande-Bretagne de distancer la production allemande pendant la guerre, et même de réduire l'écart avec les États-Unis, qui entamaient une spectaculaire expansion économique au moment même où les responsables des grandes sociétés prenaient le contrôle d'une économie de guerre coordonnée par l'État.

Un siècle après les Anglais, les Américains empruntèrent eux aussi le chemin de l'internationalisme libéral. Après 150 ans de protectionnisme et de violence, les États-Unis étaient devenus, et de loin, le pays le plus riche et le plus puissant du monde, et ils en vinrent à comprendre l'intérêt d'un « terrain de jeu à égalité » où ils pouvaient espérer écraser tout concurrent potentiel. Mais, comme l'Angleterre, ils posaient des réserves fondamentales.

L'une d'elles était que Washington ferait usage de son pouvoir pour empêcher tout développement indépendant où que ce soit. En Amérique latine, en Égypte, en Asie du Sud-Est et ailleurs, le développement devait être

« complémentaire », et non pas « concurrentiel ». Il y eut aussi des interventions de grande ampleur dans le commerce. Ainsi, l'aide du plan Marshall fut conditionnée par l'achat de produits agricoles américains, ce qui explique en partie que la part des États-Unis dans le commerce mondial des céréales soit passée de moins de 10 % avant la guerre à plus de 50 % en 1950, tandis que les exportations argentines étaient réduites des deux tiers. L'aide alimentaire fut également utilisée à la fois pour subventionner l'agriculture et la pêche américaines et pour vendre moins cher que les producteurs étrangers – autre mesure destinée à empêcher tout développement indépendant. La destruction à peu près complète de la production de blé colombienne par de tels moyens est l'un des facteurs expliquant la croissance de l'industrie de la drogue, que la politique néo-libérale de ces dernières années a encore accélérée dans les Andes. L'industrie textile du Kenya s'est effondrée pareillement en 1994 quand l'administration Clinton lui a imposé des quotas interdisant au pays d'emprunter le chemin de développement suivi par tous les pays industriels. Les « réformateurs africains » furent prévenus : ils devaient encore faire des progrès pour améliorer les conditions offertes aux responsables des milieux d'affaires, « intégrer les réformes assurant la liberté des marchés » et adopter des politiques commerciales et d'investissement conformes aux exigences des investisseurs occidentaux. Ce ne sont là que quelques exemples dispersés.

Toutefois, c'est ailleurs que s'illustre de la façon la plus frappante l'écart entre la « doctrine réellement existante » et la doctrine officielle de la liberté des marchés. L'interdiction des subventions publiques est l'un des éléments de base de la théorie du libre-échange. Après la Seconde Guerre mondiale, pourtant, les dirigeants des milieux d'affaires américains redoutaient que l'économie ne retourne à la dépression, sans intervention de l'État. De surcroît, ils affirmaient que les secteurs industriels les plus avancés – en particulier l'aviation, bien que le raisonnement fût plus général – ne pourraient « exister de manière satisfaisante dans une économie de "libre entreprise" pure, concurrentielle et sans subventions », l'État étant « le seul sauveur possible ». Ces citations sont extraites de la presse d'affaires, qui admettait également que le système édifié autour du Pentagone était le meilleur moyen de transférer les coûts de fabrication au secteur public. Ces dirigeants comprenaient que les dépenses sociales pouvaient jouer le même rôle de stimulateur, mais il ne s'agissait pas là de subventions directes aux grandes sociétés puisqu'elles avaient des effets de démocratisation et de redistribution – autant de défauts dont les dépenses militaires étaient dépourvues.

En outre, cette idée était facile à vendre. Le secrétaire aux Forces aériennes de Truman présenta les choses de la manière la plus simple : il ne faut pas utiliser le mot « subventions », mieux vaut parler de « sécurité ». Il veilla à ce que le budget militaire « satisfasse les exigences de l'industrie de l'aviation », comme il le déclara lui-même. Cela eut pour conséquence, entre autres choses, de faire de l'aviation civile le premier poste d'exportation du pays, et de l'énorme industrie du voyage et du tourisme une source de gros profits.

Il était donc parfaitement normal que Clinton fasse de Boeing « un modèle pour toutes les compagnies d'Amérique » quand, lors du sommet Asie-Pacifique de 1993, il prêcha sa « nouvelle vision » de l'avenir des marchés libres sous des applaudissements nourris. Parfait exemple de ce que sont réellement les marchés, l'aviation civile est désormais dominée par deux firmes,

Boeing-McDonald et Airbus, dont chacune doit son existence et son succès à d'importantes subventions publiques. La même situation prévaut dans les domaines de l'informatique, de l'électronique et de l'automation, de la biotechnologie et des communications – en fait, dans pratiquement tous les secteurs dynamiques de l'économie.

Il était inutile d'exposer à l'administration Reagan la « doctrine réellement existante » de la liberté des marchés : elle maîtrisait parfaitement le sujet, en exaltant les mérites auprès des pauvres tout en se vantant devant les hommes d'affaires du fait que Reagan avait « davantage protégé l'industrie américaine des importations que n'importe lequel de ses prédécesseurs depuis cinquante ans » – ce qui était beaucoup trop modeste ; il surpassait l'ensemble des anciens présidents réunis, tout en « impulsant le plus grand retour au protectionnisme depuis les années 1930 », comme l'écrivit *Foreign Affairs* dans un article passant en revue la décennie. Sans ces mesures parfois extrêmes d'ingérence sur le marché, on peut douter que les industries de l'automobile, des machines-outils ou des semi-conducteurs eussent survécu à la concurrence japonaise, ou eussent pu s'engager dans les technologies en voie d'émergence, avec d'importants effets sur toute l'économie. Cela montre, une fois de plus, que l'« opinion reçue » est « pleine de trous », comme le fit remarquer un autre article de *Foreign Affairs* examinant l'action de l'administration Reagan. Elle garde pourtant ses vertus en tant qu'arme idéologique permettant de mettre au pas ceux qui ne peuvent se défendre. (Soulignons que les États-Unis et le Japon viennent tous deux d'annoncer de nouveaux grands programmes de financement public des technologies avancées – respectivement pour l'aviation et les semi-conducteurs –, les subventions d'État venant ainsi soutenir le secteur industriel privé.)

Une étude approfondie des multinationales due à Winfried Ruigrock et Rob van Tulder permet aussi d'illustrer ce qu'est la « doctrine réellement existante de la liberté des marchés ». Ils ont ainsi découvert qu'« à peu près toutes les grandes compagnies du monde ont bénéficié d'une aide décisive des pouvoirs publics, ou de barrières commerciales, dans la définition de leur stratégie ou de leur position compétitive », et qu'« au moins vingt compagnies classées dans les cent premières par la revue *Fortune* en 1993 n'auraient pu survivre de manière indépendante si elles n'avaient été sauvées par leurs gouvernements respectifs » – soit par socialisation de leurs pertes, soit par simple rachat de l'État quand elles connaissaient trop de difficultés. Lockheed, principal employeur de la circonscription profondément conservatrice de Newton Gingrich, fut ainsi sauvé de la faillite grâce à des garanties de prêt accordées par le gouvernement fédéral. La même étude fait remarquer que l'intervention de l'État, qui « a été la règle plutôt que l'exception au cours des deux derniers siècles [...], a joué un rôle clé dans le développement et la diffusion de nombreuses innovations – en particulier dans l'aérospatiale, l'électronique, l'agriculture moderne, la technologie des matériaux et celle des transports, l'énergie », ainsi que dans les télécommunications et l'information (Internet et le Web en étant des exemples récents tout à fait frappants). Il en allait de même autrefois pour le textile et l'acier, et bien sûr pour l'énergie. Les politiques étatiques « ont constitué une force écrasante dans la définition des stratégies et la compétitivité des plus grandes sociétés mondiales ». D'autres études confirment ces remarques.

Il y aurait encore beaucoup à dire sur toutes ces questions, mais une conclusion, en tout cas, paraît s'imposer : les doctrines en vigueur sont conçues et mises en œuvre pour des raisons de pouvoir et de profit. Les « expériences » contemporaines suivent un modèle familier quand elles prennent la forme d'un « socialisme pour les riches » au sein d'un système mercantiliste mondial dominé par les grandes entreprises, dans lequel le « commerce » se réduit pour l'essentiel à des transactions centralisées entre firmes – énormes institutions liées à leurs concurrents par des alliances stratégiques, agissant en tyrans au sein d'une structure interne conçue pour saper les prises de décision démocratiques et pour protéger les maîtres des rigueurs du marché. C'est aux pauvres et aux vulnérables qu'il faut inculquer ces sévères doctrines.

Nous pourrions également nous demander jusqu'à quel point l'économie est vraiment « mondialisée » et pourrait être soumise à un contrôle démocratique et populaire. En termes d'échanges, de flux financiers et autres mesures du même ordre, l'économie n'est pas plus « mondiale » qu'au XXe siècle. De surcroît, les multinationales dépendent fortement des subventions publiques et des marchés domestiques ; leurs transactions internationales, y compris ce qu'on appelle à tort « le libre- échange », sont en grande partie confinées à l'Europe, au Japon et aux États-Unis, où elles peuvent bénéficier de mesures politiques sans craindre les coups d'État militaires et autres mauvaises surprises du même genre. Il y a beaucoup de choses nouvelles et importantes, mais la conviction que tout est « hors de contrôle » n'est pas très crédible, même si l'on s'en tient aux mécanismes existants.

Une quelconque loi de la nature exige-t-elle que nous nous en tenions à eux ? Non – si du moins nous prenons au sérieux le libéralisme classique. On connaît bien l'éloge qu'Adam Smith fait de la division du travail, mais beaucoup moins sa dénonciation de ses effets déshumanisants, qui transforment les travailleurs en objets « aussi stupides et ignorants qu'il est possible à une créature humaine de l'être ». C'est là quelque chose qu'il faut empêcher « dans toute société civilisée et développée » par une action de l'État, afin de surmonter la force destructrice de la fameuse « main invisible ». On ignore également que Smith pensait qu'une sorte de régulation d'État « en faveur des travailleurs est toujours juste et équitable », mais pas « quand elle est en faveur des maîtres » ; de même que son appel à l'égalité de conditions, qui était au cœur de son plaidoyer pour la liberté des marchés.

Un autre penseur majeur du panthéon libéral allait encore plus loin. Wilhelm von Humboldt condamnait le travail salarié en soi : quand le travailleur est soumis à un contrôle extérieur, écrivait-il, « nous pouvons admirer ce qu'il fait, mais nous méprisons ce qu'il est ». « L'art progresse, l'artisan recule », observait Alexis de Tocqueville, autre grande figure du libéralisme. Comme Smith et Jefferson, il pensait que l'égalité de conditions était une importante caractéristique d'une société juste et libre. Voilà cent soixante ans, il mettait en garde contre les dangers d'une « permanente inégalité des conditions ». Il redoutait que ne sonne le glas de la démocratie si « l'aristocratie manufacturière que nous voyons s'élever sous nos yeux » aux États-Unis, « l'une des plus dures qui ait jamais existé au monde », sortait de ses frontières – comme elle le fit plus tard, dépassant de loin ses pires cauchemars.

Je ne fais qu'effleurer des questions aussi complexes que fascinantes – qui suggèrent, je crois, que les principes fondateurs du libéralisme classique trouvent aujourd'hui leur expression naturelle non dans la « religion » néolibérale, mais dans les mouvements indépendants des travailleurs, dans les idées et les pratiques des mouvements socialistes libertaires, parfois dans les déclarations de figures aussi éminentes de la pensée du XXᵉ siècle que Bertrand Russell ou John Dewey. Il faut évaluer avec prudence les doctrines qui dominent les discours intellectuels, en prenant bien garde aux arguments, aux faits et aux leçons de l'histoire passée et présente. Il ne sert à rien de se demander ce qui est « bon » pour certaines catégories de pays, comme s'il s'agissait d'entités ayant des valeurs et des intérêts communs. Ce qui peut être bon pour le peuple américain, qui dispose d'avantages incomparables, pourrait bien être mauvais pour d'autres, dont l'éventail de choix est bien plus restreint. Toutefois, il est une chose à laquelle nous pouvons raisonnablement nous attendre : ce qui est bon pour les peuples du monde risque de n'être que très lointainement conforme aux plans des « principaux architectes ». Et il y a moins de raisons que jamais de leur permettre de façonner l'avenir en fonction de leurs intérêts.

[Une version de cet article a été originellement publiée en Amérique latine en 1996 dans des traductions espagnole et portugaise.]

II

Le consentement sans consentement : embrigader l'opinion publique

Une société démocratique décente devrait reposer sur le principe du « consentement des gouvernés ». Cette idée est universellement admise, mais on peut lui reprocher d'être à la fois trop forte et trop faible. Trop forte, parce qu'elle laisse entendre que les gens doivent être gouvernés et contrôlés. Trop faible, car les dirigeants les plus brutaux eux-mêmes exigent une certaine dose de « consentement des gouvernés », et l'obtiennent généralement, pas seulement par la force.

Je m'intéresserai ici à la manière dont des sociétés démocratiques et libres ont fait face à ces questions. Au fil du temps, les forces populaires ont cherché à obtenir la possibilité de participer plus largement à la gestion de leurs affaires, avec certains succès et de nombreuses défaites. Dans le même temps, un corpus d'idées très instructif a été développé pour justifier la résistance de l'élite à la démocratie. Quiconque veut comprendre le passé et façonner l'avenir aurait intérêt à examiner avec attention non seulement la pratique, mais aussi le cadre doctrinal qui la soutient.

Voilà 250 ans, David Hume aborda ces questions dans des œuvres devenues classiques. Il était intrigué par « la facilité avec laquelle les plus nombreux sont gouvernés par quelques-uns, la soumission implicite avec laquelle les hommes abandonnent » leur destin à leurs maîtres. Cela lui paraissait surprenant, car « la force est toujours du côté des gouvernés ». Si le peuple s'en rendait compte, il se soulèverait et renverserait ceux qui le dirigent. Il en concluait que l'art du gouvernement est fondé sur le contrôle de l'opinion, principe qui « s'étend aux gouvernements les plus despotiques et les plus militarisés, comme aux plus libres et aux plus populaires ».

Hume sous-estimait certainement l'efficacité de la force brutale. Il serait plus exact de dire que plus un gouvernement est « libre et populaire », plus il lui devient nécessaire de s'appuyer sur le contrôle de l'opinion pour veiller à ce qu'on se soumette à lui.

Que le peuple doive se soumettre, voilà qui va de soi dans une bonne part de l'éventail des opinions politiques. En démocratie, les gouvernés ont le droit de consentir, mais rien de plus. Dans la terminologie de la doctrine progressiste moderne, la population peut jouer le rôle de « spectatrice », mais pas de « participante », hormis pour choisir occasionnellement entre des dirigeants qui représentent le pouvoir authentique. C'est ce que l'on appelle l'« arène politique ». Le grand public doit être totalement exclu de l'arène économique, où se détermine largement ce qu'il adviendra de la société. Selon la théorie démocratique dominante, il doit n'y jouer aucun rôle.

Ces hypothèses ont été discutées tout au long de l'Histoire, mais les questions ont pris une force particulière avec le premier sursaut démocratique moderne dans l'Angleterre du XVIIe siècle. L'agitation de cette époque est souvent présentée comme un conflit entre le roi et le Parlement ; pourtant, comme dans de nombreux autres cas, elle trouve son origine dans le fait qu'une bonne part de la population ne voulait être gouvernée ni par l'un ni par l'autre

– « des chevaliers et des gentilshommes » qui « ne connaissent pas nos plaies » et « ne feront que nous opprimer », ainsi que le déclaraient les pamphlets –, mais par « des citoyens comme nous, qui savent ce que nous voulons ».

De telles idées chagrinaient profondément les « hommes de qualité », ainsi qu'ils se désignaient eux-mêmes – les « hommes responsables », dit-on aujourd'hui. Ils étaient prêts à accorder des droits au peuple, mais avec des limites, et à condition que le mot « peuple » ne désigne pas la populace confuse et ignorante. Mais comment ce principe fondamental pour la vie sociale peut-il être réconcilié avec la doctrine du « consentement des gouvernés », lesquels alors n'étaient pas si faciles à réprimer ? Francis Hutcheson, philosophe distingué contemporain de David Hume, proposa une solution. Il fit valoir que le « consentement des gouvernés » était respecté si les gouvernants imposaient des projets rejetés par le grand public et que plus tard les masses « stupides » et « pleines de préjugés » consentissent « de bon gré » à ce qui avait été fait en leur nom. On peut ainsi adopter le principe de « consentement sans consentement » – terme utilisé plus tard par le sociologue Franklin Henry Giddings.

Hutcheson se préoccupait du contrôle de la populace en Angleterre même, Giddings, du maintien de l'ordre à l'étranger. Il parlait notamment des Philippines, que l'armée américaine était en train de libérer* – libérant du

---

* En 1898, les États-Unis intervinrent aux Philippines, où les insurgés s'étaient soulevés contre le pouvoir colonial espagnol ; leur flotte s'empara de Manille. L'année suivante, par le traité de Paris, ils devinrent maîtres de l'archipel, racheté à l'Espagne, puis vinrent à bout de l'agitation nationaliste grâce à une répression particulièrement brutale qui dura plusieurs années. Les Philippines accédèrent à l'indépendance en 1946 *(NdT)*.

même coup plusieurs centaines de milliers de personnes des tourments de l'existence, ou, comme l'écrivait la presse, « massacrant les indigènes à la mode anglaise », de telle sorte que « les créatures malavisées » qui nous résistaient puissent au moins « respecter nos armes » et plus tard en venir à reconnaître que nous voulions leur apporter la « liberté » et le « bonheur ». Pour exposer tout cela sur le ton civilisé qui s'imposait, Giddings développa le concept de « consentement sans consentement » : « Si, dans les années qui suivent, [le peuple conquis] voit et reconnaît que la relation à laquelle il s'opposait avait pour objectif son plus grand bien, on peut raisonnablement soutenir que l'autorité a été imposée avec le consentement des gouvernés », un peu comme des parents empêchent leur enfant de traverser une rue très passagère.

Ces explications résumaient le véritable sens de la doctrine du « consentement des gouvernés ». Le peuple doit se soumettre à ses gouvernants, et il suffit pour cela qu'il donne son consentement sans consentement. Au sein d'un État tyrannique, ou à l'étranger, on peut faire usage de la force. Quand c'est plus difficilement envisageable, il faut obtenir l'accord des gouvernés par ce que l'opinion progressiste et libérale appelle la « fabrication du consentement ».

L'énorme industrie des relations publiques, depuis son apparition au début du XXe siècle, s'est consacrée au « contrôle de l'opinion publique », pour reprendre la description qu'en donnaient les dirigeants des milieux d'affaires. Et ils agirent en conformité avec leurs paroles, ce qui est sans doute l'un des thèmes essentiels de l'histoire moderne. Que cette industrie ait ses racines, et ses principaux centres, dans le pays « le plus libre » ne doit pas surprendre dès lors que l'on comprend correctement la maxime de Hume.

Quelques années après Hume et Hutcheson, les problèmes que posait la populace anglaise s'étendirent aux colonies révoltées d'Amérique du Nord. Les pères fondateurs adoptèrent l'opinion des « hommes de qualité » britanniques, l'exprimant parfois dans les mêmes termes, ou presque. L'un d'eux déclarait ainsi : « Quand je parle du public, j'entends sa partie rationnelle. L'ignorant et le vulgaire sont aussi peu qualifiés pour juger des modes [de gouvernement] qu'incapables d'en tenir les rênes. » Le peuple est un « grand animal » qu'il faut dompter, disait de son côté Alexander Hamilton. Il fallut apprendre, parfois par la force, à des fermiers rebelles et indépendants que les idéaux exposés dans les pamphlets révolutionnaires ne devaient pas être pris trop au sérieux. Le commun ne serait pas représenté par des hommes comme eux, « qui connaissent les maux du peuple », mais par une *gentry* de marchands, d'avocats et autres « hommes responsables » à qui l'on pourrait faire confiance pour défendre les privilèges.

John Jay, premier président de la Cour suprême, exprima clairement la doctrine régnante : « Ceux qui possèdent le pays doivent le gouverner. » Restait à régler une question : qui possède le pays ? La réponse fut fournie par l'apparition des grandes sociétés privées et de structures conçues pour les protéger et les soutenir, bien qu'il reste difficile de contraindre le grand public à garder un rôle de spectateur.

Si nous voulons comprendre le monde d'aujourd'hui et de demain, les États-Unis constituent sans doute le principal cas à étudier. Pour leur incomparable puissance, mais aussi pour la stabilité de leurs institutions démocratiques. De surcroît, ils ont représenté ce qui ressemblait le plus à une *tabula rasa*. En 1776, Thomas Paine remarquait : « L'Amérique peut être aussi contente qu'elle le veut ; elle dispose d'une feuille blanche sur laquelle écrire. » Par la suite, les sociétés indigènes furent largement éliminées. Les États-Unis ont d'ailleurs conservé bien peu de chose des vieilles structures européennes, ce qui explique la relative faiblesse du contrat social et des systèmes d'assistance, lesquels avaient souvent leurs origines dans des institutions précapitalistes. Et l'ordre sociopolitique y a été à un rare degré consciemment édifié. En étudiant l'Histoire on ne peut se livrer à des expériences, mais les États-Unis sont aussi proches qu'on peut l'imaginer de « l'exemple idéal » de la démocratie capitaliste d'État.

De surcroît, leur principal concepteur fut un penseur politique avisé : les idées de James Madison* l'emportèrent. Lors des débats sur la Constitution, il fit remarquer que si les élections en Angleterre « étaient ouvertes à toutes les classes du peuple, les droits des propriétaires terriens ne seraient pas en sécurité et une loi agraire ne tarderait pas à être votée » pour donner des terres à ceux qui n'en ont pas. Le système constitutionnel devait donc être conçu pour prévenir de telles injustices et « assurer les intérêts permanents du pays », c'est-à-dire les droits de propriété.

Tous les spécialistes de Madison s'accordent à dire que « la Constitution était, intrinsèquement, un document aristocratique destiné à contrer les tendances démocratiques de la période », livrant le pouvoir « aux meilleurs » et empêchant ceux qui n'étaient ni riches, ni bien nés, ni connus, de l'exercer (Lance Banning).

---

* Quatrième président des États-Unis, de 1809 à 1817 *(NdT)*.

Madison déclara ainsi que la première responsabilité de l'État était « de protéger la minorité opulente contre la majorité », proposition qui est restée le principe fondamental du système démocratique américain jusqu'à nos jours.

Lors des discussions publiques, Madison parlait des minorités en général, mais il est tout à fait clair qu'il songeait à l'une d'elles en particulier : celle des « opulents ». La théorie politique moderne souligne sa conviction selon laquelle, « dans un gouvernement juste et libre, les droits de propriété, comme ceux des personnes, devraient être efficacement accordés ». Mais, là encore, il est utile d'examiner de plus près cette doctrine. Il n'existe pas de droits *de* propriété, mais des droits *à* la propriété – c'est-à-dire ceux des personnes qui possèdent des biens. J'ai peut-être le droit de posséder ma voiture, mais celle-ci n'a aucun droit. Le droit à la propriété diffère également des autres en ce que la possession d'un bien par un individu en prive quelqu'un d'autre. Si ma voiture est à moi, vous ne pouvez la posséder ; mais dans une société juste et libre ma liberté de parole ne peut limiter la vôtre. Le principe madisonnien est donc que l'État doit assurer le droit des personnes en général, mais aussi fournir des garanties particulières supplémentaires en ce qui concerne les droits d'une classe de personnes, celle des propriétaires.

Madison prévoyait que la menace de la démocratie risquait de s'aggraver avec le temps en raison de l'accroissement de « la proportion de ceux qui se heurtent à toutes les difficultés de l'existence, et rêvent en secret d'une distribution plus équitable de ses bienfaits ». Il redoutait que ceux-ci ne gagnent de l'influence, s'inquiétait des « symptômes d'un esprit niveleur » déjà visible et mettait en garde contre « un danger futur » si le droit de vote plaçait « le pouvoir sur la propriété en des mains qui n'en possèdent pas une partie ». Comme il l'expliquait, « il ne faut pas compter sur ceux qui n'ont pas de biens, ni l'espoir d'en acquérir, pour témoigner une sympathie suffisante aux droits de propriété ». Sa solution consistait à maintenir le pouvoir politique entre les mains de ceux « qui sont issus de, et représentent, la richesse de la nation », « le groupe des hommes les plus capables » face à un peuple fragmenté et désorganisé.

Bien entendu, le problème de l'« esprit niveleur » se pose aussi à l'étranger. On en apprend beaucoup sur la « théorie de la démocratie réellement existante » en voyant comment ce problème est perçu, en particulier dans les documents secrets internes où les dirigeants peuvent se montrer plus francs.

Prenons l'important exemple du Brésil, le « colosse du Sud ». Lors d'une visite en 1960, le président Eisenhower assura les Brésiliens que « notre système d'entreprise privée, mais douée d'une conscience sociale, est bénéfique pour tout le monde, aussi bien les propriétaires que les travailleurs [...]. Libre, le travailleur brésilien fait l'heureuse démonstration des joies de l'existence dans un régime démocratique ». L'ambassadeur américain ajouta que l'influence des États-Unis avait brisé « l'ordre ancien en Amérique du Sud » en lui apportant « des idées révolutionnaires telles que l'éducation gratuite et obligatoire, l'égalité devant la loi, une société relativement dépourvue de classes, un système de gouvernement démocratique et responsable, la liberté et la concurrence des entreprises [et] un niveau de vie fabuleux pour les masses ».

Toutefois, les Brésiliens réagirent mal aux bonnes nouvelles annoncées par leurs tuteurs du Nord. John

Foster Dulles, le secrétaire d'État, fit savoir au Conseil national de sécurité que les élites latino-américaines étaient « des enfants » « pratiquement dépourvus de la capacité de se gouverner eux-mêmes ». Pis encore, les États-Unis étaient « très loin derrière les Soviétiques pour ce qui est de gagner le contrôle des esprits et des émotions de peuples peu sophistiqués ». Dulles et Eisenhower exprimèrent leurs inquiétudes face à la capacité des communistes à « prendre le contrôle des mouvements de masse », capacité « que nous ne savons pas imiter ». « Les pauvres sont ceux qu'ils attirent, et ils ont toujours voulu piller les riches. » En d'autres termes, il nous était difficile de persuader les gens d'accepter notre doctrine, selon laquelle ce sont les riches qui doivent piller les pauvres. Ce grave problème de relations publiques demeurait sans solution.

L'administration Kennedy le résolut en changeant les termes de la mission confiée aux militaires sud-américains : ils devaient autrefois « défendre l'hémisphère », dorénavant ils assureraient la « sécurité intérieure » – décision qui eut des conséquences dramatiques, dont la première fut un coup d'État particulièrement brutal et meurtrier au Brésil. Washington voyait dans l'armée brésilienne un « îlot de santé mentale » au sein du pays, et Lincoln Gordon, l'ambassadeur de Kennedy, qualifia l'opération de « rébellion démocratique », et même de « plus importante victoire de la liberté en ce milieu du XXe siècle ». Ancien économiste de Harvard, Gordon ajouta que cette « victoire de la liberté » – à savoir le renversement par la force d'une démocratie parlementaire – devrait « créer un climat bien meilleur pour les investissements privés », ce qui nous en dit un peu plus sur le sens réel des mots *liberté* et *démocratie*.

Deux ans plus tard, Robert McNamara, le secrétaire d'État à la Défense, fit savoir à ses associés que « la politique américaine envers les militaires latino-américains [s'était], dans l'ensemble, montrée efficace dans la réalisation des objectifs qui lui [avaient été] fixés ». Elle avait amélioré les « capacités de sécurité intérieure » et assuré « une influence militaire américaine prédominante ». Les officiers sud-américains avaient compris quelles étaient leurs tâches et disposaient des moyens de les mener à bien grâce aux programmes d'aide et de formation de Kennedy. Parmi ces tâches, le renversement des gouvernements civils « chaque fois que, selon les militaires, le comportement de leurs dirigeants [était] préjudiciable au bien-être de la nation ». De telles actions étaient nécessaires « dans l'environnement culturel latino-américain », expliquaient les intellectuels entourant Kennedy. Et l'on pouvait être certain qu'elles seraient menées comme il convenait maintenant que les militaires avaient « une compréhension des objectifs américains, et un penchant pour ceux-ci ». Cela assurerait une issue favorable à « la lutte révolutionnaire pour le pouvoir entre les grands groupes qui constituent l'actuelle structure de classe » du continent – une issue qui protégerait « les investissements privés américains » et le commerce, « racine économique » des « intérêts politiques américains en Amérique latine ».

Ces documents secrets précis sont relatifs au libéralisme kennedyen. Les discours tenus en public ont naturellement un contenu tout à fait différent. Si l'on s'en tient à eux, on comprendra peu de chose du sens véritable dut mot « démocratie » ou de l'ordre mondial de ces dernières années – comme d'ailleurs de l'avenir, car ce sont aujourd'hui les mêmes mains qui tiennent les rênes.

Les spécialistes les plus sérieux s'accordent sur les faits de base. Un livre important de Lars Schoultz, l'un des meilleurs connaisseurs de l'Amérique latine, traite de ces gouvernements « de sécurité nationale » installés et soutenus par les États-Unis. Pour reprendre sa formule, leur but était « de détruire de manière définitive ce que l'on percevait comme une menace contre la structure existante des privilèges socio-économiques en éliminant la participation politique du plus grand nombre » – le « grand animal » de Hamilton. L'objectif est fondamentalement le même aux États-Unis, bien que les moyens soient différents.

Le même schéma est à l'œuvre aujourd'hui. La Colombie, championne des violations des droits de l'homme sur le continent américain, est aussi depuis plusieurs années le principal bénéficiaire de l'assistance et de la formation militaire américaines. Le prétexte est la « guerre contre la drogue », mais c'est là un « mythe », comme l'ont répété plus d'une fois les associations humanitaires, l'Église et tous ceux qui ont enquêté sur la choquante histoire des atrocités commises et des liens étroits entre les narcotrafiquants, les propriétaires terriens, les militaires et leurs associés paramilitaires. La terreur d'État a détruit les organisations populaires et presque anéanti le seul parti politique indépendant en assassinant des milliers de militants, des maires aux candidats à la présidence. La Colombie est néanmoins saluée comme une démocratie stable, ce qui révèle une fois de plus le sens précis du mot « démocratie ».

Une illustration particulièrement instructive en est fournie par les réactions que provoqua la première expérience démocratique au Guatemala. Sur ce dossier, les archives confidentielles sont partiellement disponibles, si bien que nous en savons beaucoup sur la réflexion qui a guidé l'attitude politique. En 1952, la CIA prévint que la « politique radicale et nationaliste » du gouvernement guatémaltèque avait obtenu « le soutien ou l'accord de presque toute la population ». Il « mobilisait la paysannerie, jusque-là politiquement inerte », et suscitait « un soutien des masses au régime actuel » en organisant le monde du travail, en lançant une réforme agraire, et par d'autres méthodes « rappelant la révolution de 1944 » qui avait engendré « un fort mouvement nationaliste visant à libérer le Guatemala de sa dictature militaire, de son arriération sociale et du "colonialisme économique" qui étaient autrefois la règle ». La politique du gouvernement démocratique « inspirait la fidélité, et se conformait aux intérêts, de la plupart des Guatémaltèques ». Les services de renseignement du Département d'État firent savoir que le gouvernement démocratique « tenait à maintenir un système politique ouvert », permettant ainsi aux communistes « d'étendre leur influence et de séduire efficacement divers secteurs de la population ». Autant de travers redressés par le coup d'État de 1954 et le règne de la terreur qui sévit depuis, toujours avec le large soutien des Américains.

Le problème consistant à assurer le « consentement » se pose aussi dans les institutions internationales. À ses débuts, l'ONU représentait un instrument fiable de la politique américaine, et était vivement admirée pour cela. Mais la décolonisation apporta avec elle ce que l'on en vint à appeler la « tyrannie de la majorité ». À partir des années 1960, l'Amérique devint la championne des vetos aux résolutions du Conseil de sécurité (la Grande-Bretagne arrivant juste après et la France en troisième position, assez loin derrière), tout en votant seule, ou avec quelques États qui étaient ses obligés, contre celles de l'Assemblée générale. Les Nations unies connurent la disgrâce, et l'on vit paraître des articles demandant pourquoi diable le monde « s'opposait aux États-Unis »

– que l'inverse fût possible était une idée trop saugrenue pour mériter que l'on s'y arrête. Les relations américaines avec la Cour internationale de La Haye et d'autres institutions internationales ont suivi une évolution semblable, sur laquelle nous reviendrons.

D'un certain point de vue, très important, mes commentaires sur les racines madisonniennes des concepts prédominants de la démocratie étaient injustes. Comme Adam Smith et les autres fondateurs du libéralisme classique, Madison était un penseur précapitaliste, et anticapitaliste d'esprit. Il s'attendait à ce que les dirigeants soient des « hommes d'État éclairés », des « philosophes bienveillants », « dont la sagesse saurait discerner au mieux les véritables intérêts de leur pays », qu'ils protégeraient contre les « sottises » des majorités démocratiques en « raffinant » et en « élargissant » l'« opinion publique », mais avec une bienveillance éclairée.

Madison apprit vite qu'il en allait tout autrement quand la « minorité opulente » entreprit d'user de son nouveau pouvoir de la façon qu'Adam Smith avait prédite quelques années plus tôt. Elle entendait bien suivre ce que ce dernier appelait la « vile maxime » des maîtres : « Tout pour nous, rien pour les autres. » En 1792, Madison lança une mise en garde : le développement croissant d'un État capitaliste était en train de « substituer la motivation des intérêts privés au devoir public », ce qui menait à « une véritable domination de quelques-uns derrière une apparente liberté des plus nombreux ». Il déplorait l'« impudente dépravation de notre temps », les pouvoirs privés devenant « la garde prétorienne du gouvernement – à la fois ses outils et ses tyrans, corrompus par ses largesses et l'intimidant par leurs clameurs et leurs intrigues ». Ils jetaient sur la société cette ombre que nous appelons « politique », comme le dit John Dewey plus tard. Ce dernier, l'un des plus grands philosophes du XXᵉ siècle et l'une des principales figures du libéralisme américain, soulignait que la démocratie a peu de contenu quand le grand capital contrôle la vie de la nation par sa maîtrise « des moyens de production et d'échange, de la publicité, des transports et des communications, renforcée par celle de la presse, des journalistes et des autres moyens de publicité ou de propagande ». Il soutenait par ailleurs que dans une société libre et démocratique les travailleurs devraient être « les maîtres de leur propre destin industriel », et non des outils loués par leurs employeurs ; autant d'idées que l'on peut faire remonter au libéralisme classique et aux Lumières, et qui n'ont cessé de réapparaître dans les luttes populaires, aux États-Unis comme ailleurs.

Il s'est produit bien des changements depuis deux cents ans, mais les mises en garde de Madison n'ont cessé d'apparaître toujours plus pertinentes, prenant un sens nouveau avec la création de grandes tyrannies privées qui, dès le début du XXᵉ siècle, se sont vu accorder des pouvoirs exorbitants, principalement par les tribunaux. Les théories conçues pour justifier de telles « entités collectives légales », comme les appellent parfois les historiens du droit, reposent sur des idées qui sous-tendent également le fascisme et le bolchevisme : ces organisations ont des droits qui passent avant ceux des personnes et au-dessus d'eux. Elles reçoivent d'amples largesses des États qu'elles dominent en grande partie, demeurant à la fois « des outils et des tyrans », comme le disait Madison. Et elles ont gagné un contrôle substantiel sur l'économie intérieure et internationale, tout comme sur les systèmes d'information et d'endoctrinement, ce qui rappelle une autre inquiétude de

Madison : « Un gouvernement populaire sans information ou sans les moyens de l'acquérir n'est qu'un prologue à une farce ou à une tragédie, ou aux deux. »

Examinons maintenant les doctrines élaborées pour imposer les formes modernes de la démocratie. Elles sont exprimées, de manière tout à fait précise, dans un important manuel de l'industrie des relations publiques dû à une grande figure de ce secteur, Edward Bernays. Il commence par observer que « la manipulation consciente et intelligente des habitudes et des opinions des masses est un élément important dans une société démocratique ». Pour mener à bien cette tâche essentielle, « les minorités intelligentes doivent faire un usage continuel et systématique de la propagande », car elles seules « comprennent les processus mentaux et les habitudes sociales des masses » et peuvent « tirer les ficelles qui contrôlent l'opinion publique ». Par conséquent, notre « société a consenti à ce que la libre concurrence soit organisée par les dirigeants et la propagande » – autre cas de « consentement sans consentement ». La seconde fournit aux premiers un mécanisme « pour modeler l'esprit des masses », si bien que celles-ci « exercent leur force nouvellement acquise dans le sens désiré ». Les dirigeants peuvent « embrigader l'opinion publique tout à fait comme une armée le corps de ses soldats ». Ce procédé de « gestion du consentement » est « l'essence même du processus démocratique », écrivait Bernays peu avant d'être honoré pour ses contributions par l'American Psychological Association, en 1949.

L'importance d'un « contrôle de l'opinion publique » fut reconnue avec une franchise croissante à mesure que les luttes populaires parvenaient à étendre le champ de la démocratie, donnant ainsi naissance à ce que les élites libérales appellent « la crise de la démocratie » – à savoir ce qui se passe quand des populations, ordinairement passives et apathiques, s'organisent et cherchent à entrer dans l'arène politique pour défendre leurs intérêts et leurs exigences, menaçant la stabilité et l'ordre. Ainsi que l'expliquait Bernays, avec « le suffrage universel et l'éducation généralisée [...], la bourgeoisie elle-même finissait par avoir peur du menu peuple. Car les masses promettaient de devenir roi », tendance heureusement inversée – du moins l'espérait-on – quand de nouvelles méthodes « destinées à modeler l'opinion publique » furent conçues et mises en œuvre.

En bon libéral du New Deal, Bernays avait développé ses talents dans le Comité sur l'information publique de Woodrow Wilson, première agence de propagande d'État américaine. « C'est l'étonnant succès de la propagande pendant la guerre qui a ouvert les yeux de la petite minorité intelligente de tous les secteurs sur les possibilités d'embrigadement de l'opinion publique », expliquait-il dans son manuel de relations publiques, intitulé *Propagande*. Peut-être cette minorité n'était-elle pas consciente qu'un tel succès reposait largement sur les récits fabriqués relatant des atrocités boches, fournis par le ministère britannique de l'Information, qui en secret définissait sa tâche comme un moyen de « diriger la pensée de la plus grande partie du monde ».

Tout cela est typique de la doctrine wilsonnienne – ce que la théorie politique appelle son « idéalisme ». Le point de vue de Wilson lui-même était qu'une élite de gentilshommes aux « idéaux élevés » était nécessaire au maintien « de la stabilité et de la vertu ». La minorité intelligente d'hommes « responsables » doit contrôler les prises de décision ajoutait un autre vétéran du comité de propagande de Wilson, Walter Lippmann, dans ses essais si influents sur la démocratie. Lippmann fut aussi, cinquante ans durant, la figure la plus respectée du journalisme américain et un éminent commentateur des affaires publiques. La minorité intelligente, ajoutait-il, constitue une « classe spécialisée » chargée de définir la politique et « l'information d'une opinion publique correcte ». Il faut donc la préserver de toute ingérence d'un grand public composé « de gens extérieurs aux affaires, ignorants et importuns », qui doit être « remis à sa place », sa fonction étant d'être « spectateur de l'action » et non participant, hormis, comme on l'a vu, pour des exercices électoraux périodiques à l'occasion desquels il fait des choix parmi la classe spécialisée. Les dirigeants doivent être libres d'agir dans un « isolement technocratique », pour reprendre la terminologie actuelle de la Banque mondiale.

Dans l'*Encyclopaedia of the Social Sciences*, Harold Lasswell, l'un des fondateurs de la science politique moderne, mettait ses lecteurs en garde : la minorité des intelligents doit reconnaître « l'ignorance et la stupidité des masses » et ne pas succomber aux « dogmatismes démocratiques selon lesquels les hommes sont les meilleurs juges de leurs propres intérêts ». Ce ne sont pas eux les meilleurs juges, c'est nous. Les masses doivent être contrôlées, pour leur bien, et dans les sociétés démocratiques, où l'emploi de la force n'est pas concevable, des gestionnaires sociaux doivent se tourner vers « une technique de contrôle entièrement nouvelle, en grande partie par la propagande ». (Notons que la similitude entre la théorie démocratique progressiste et le marxisme-léninisme est ici assez frappante – Bakounine l'avait prédite voilà longtemps.)

Une bonne compréhension du concept de « consentement » nous permet de voir que la mise en œuvre du programme des milieux d'affaires, en dépit des objections du grand public, se fait « avec le consentement des gouvernés », forme de « consentement sans consentement ». C'est là une bonne description de ce qui se passe aux États-Unis. Il y a souvent un gouffre entre les préférences du grand public et la politique menée en son nom ; ces dernières années, il s'est fait de plus en plus profond.

Une autre comparaison jette un peu plus de lumière sur le fonctionnement du système démocratique. Le grand public pense à plus de 80 % que le gouvernement est « dirigé au bénéfice de quelques-uns et de leurs intérêts particuliers, non du peuple » – contre 50 % environ il y a quelques années. Il croit également, toujours à plus de 80 %, que le système économique est « injuste par nature » et que les travailleurs n'ont pas leur mot à dire sur ce qui se passe dans le pays. Il estime, à plus de 70 %, que « les milieux d'affaires ont pris trop de pouvoir sur trop d'aspects de la vie en Amérique ». Enfin il est persuadé, à plus de 20 contre 1, que les grandes sociétés « devraient parfois sacrifier un peu de leurs profits dans le but d'améliorer les choses pour leurs ouvriers et pour les communautés ».

À bien des égards, donc, l'attitude du grand public demeure obstinément démocratique et sociale, comme ce fut le cas pendant les années Reagan, contrairement à ce que voudrait nous faire croire la mythologie. Mais il nous faut également noter que ces aspirations demeurent très en deçà des idées qui animaient les révolutions démocratiques. Au XIXᵉ siècle, les travailleurs d'Amérique du Nord n'imploraient pas leurs dirigeants de se montrer un peu plus bienveillants : ils niaient leur droit à les diriger. La presse ouvrière déclarait : « Les usines devraient appartenir à ceux qui y travaillent », reprenant les idéaux de la révolution américaine, du moins tels que les comprenait la dangereuse populace.

Les élections du Congrès de 1994 constituent un exemple révélateur du fossé entre la rhétorique et les faits. On y vit « un tremblement de terre politique », « une victoire éclatante », « un triomphe du conservatisme » reflétant une « dérive vers la droite » continue ; à cette occasion, les électeurs auraient donné « un mandat populaire écrasant » à l'armée d'extrême droite de Newt Gingrich, qui promettait de nous « débarrasser du gouvernement » et de nous ramener aux jours heureux où les marchés régnaient en maîtres.

Si l'on s'intéresse aux faits, on constate que cette « victoire éclatante » fut remportée avec à peine plus de la moitié des votes, soit environ 20 % des inscrits, des chiffres qui diffèrent à peine de ceux de 1992, quand les démocrates l'avaient emporté. Un électeur sur six seulement vit dans ces résultats « une affirmation du programme républicain ». Un sur quatre avait entendu parler du « contrat avec l'Amérique », qui présentait ce programme. Et le grand public, une fois informé, s'opposait, à une large majorité, à presque toutes les mesures qu'il comportait. Près de 60 % voulaient un accroissement des dépenses sociales. Un an plus tard, 80 % affirmaient que « le gouvernement fédéral devrait protéger les plus vulnérables, en particulier les pauvres et les gens âgés, en garantissant un niveau de vie minimum et en assurant une protection sociale ». Entre 80 et 90 % des Américains soutiennent les garanties fédérales d'assistance à ceux qui ne peuvent travailler, l'assurance contre le chômage, la subvention des médicaments, l'assistance au foyer des personnes âgées, un niveau minimal de soins médicaux, la sécurité sociale. Trois quarts d'entre eux approuvent l'idée de gardes d'enfants garanties par l'État fédéral pour les mères à faibles revenus. La persistance de telles positions est particulièrement frappante quand on songe aux assauts acharnés de la propagande visant à convaincre les gens qu'en fait ils ont des idées radicalement différentes.

L'étude de l'opinion publique menée lors de cette élection montre donc qu'à mesure que les électeurs découvraient le programme républicain au Congrès ils s'y opposaient plus farouchement. Le porte-drapeau de la révolution, Newt Gingrich, était déjà mal vu du temps de son « triomphe » ; il coula ensuite à pic, devenant l'homme politique le plus impopulaire du pays. Lors des élections de 1996, il fut particulièrement comique de voir ses plus proches associés s'efforcer de nier tout lien avec leur chef et ses idées. Lors des primaires, le premier candidat à disparaître, aussitôt ou presque, ne fut autre que Phil Gramm, seul représentant des républicains du Congrès, pourtant généreusement financé et répétant tous les mots d'ordre que, selon les journaux, les électeurs étaient censés adorer. En fait, pratiquement toutes les questions politiques passèrent à la trappe dès que les candidats durent, en janvier 1996, affronter les électeurs. L'équilibre du budget en est l'exemple le plus spectaculaire. Tout au long de l'année précédente, la grande question avait été de savoir dans quel délai il fallait tenter d'y parvenir – sept ans ou plus ? La controverse faisait rage et le fonctionnement de l'appareil d'État avait été interrompu à plusieurs reprises. Mais il n'en fut plus question dès que s'ouvrirent les primaires. Le *Wall Street Journal* nota avec surprise que les électeurs avaient « abandonné leur obsession d'équilibre du budget ». En fait, leur véritable « obsession » était précisément à l'opposé, comme les sondages d'opinion l'avaient régulièrement montré : ils se refusaient à admettre l'équilibre du budget en fonction d'hypothèses réalistes minimales.

Pour être plus précis, une frange du grand public partageait bel et bien l'« obsession » des deux grands partis politiques à ce sujet. En août 1995, 5 % d'entre eux voyaient dans le déficit le problème le plus important du pays – au même niveau que les SDF. Mais ces 5 % se trouvaient inclure les gens qui comptent, comme l'annonçait *Business Week*, citant un sondage réalisé parmi les responsables d'entreprise : « Le milieu des affaires a parlé : équilibrez le budget fédéral ! » Et quand le milieu des affaires parle, la classe politique et les médias s'empressent de rapporter ses propos. Ils informèrent donc l'opinion publique qu'en fait elle avait toujours exigé un budget en équilibre, détaillant les coupes qu'il serait nécessaire de faire dans les programmes sociaux avec son accord – en fait en dépit de sa vive opposition, comme le montrèrent les sondages. Il n'est pas surprenant que la question ait brusquement disparu de la scène médiatique dès que les hommes politiques durent affronter « le grand animal ».

Rien d'étonnant non plus à ce que le programme continue à être mis en œuvre avec la duplicité coutumière : tandis que l'on opère des coupes sombres, souvent impopulaires, dans les dépenses sociales, le budget du Pentagone augmente malgré l'opposition du grand public, mais avec l'approbation, dans les deux cas, des milieux d'affaires. Les raisons de l'accroissement des dépenses militaires apparaissent clairement quand on se rappelle le rôle, au niveau national, du système articulé autour du Pentagone : transférer les fonds publics aux secteurs avancés de l'industrie, de telle sorte que les riches électeurs de Newt Gingrich, par exemple, soient protégés des rigueurs du marché par des subventions plus élevées que celles accordées à n'importe quelle autre banlieue résidentielle du pays (hormis le gouvernement fédéral lui-même), le tout pendant que le leader de la révolution conservatrice prêche le « moins d'État » et l'individualisme farouche.

À en juger par les sondages d'opinion, il est clair que, dès le début, toutes les légendes de victoire éclatante du conservatisme étaient fausses. L'arnaque est aujourd'hui discrètement reconnue. Le spécialiste électoral du clan Gingrich a ainsi expliqué que, lorsqu'il annonçait que la majorité de la population soutenait le « contrat avec l'Amérique », il voulait simplement dire que les gens aimaient les slogans publicitaires dans lesquels on l'avait emballé. Ses études montraient ainsi que le grand public s'opposait au démantèlement du système de santé et voulait le voir « préservé, protégé et renforcé » pour « la génération à venir ». Il suffisait donc de vendre l'idée que son démantèlement visait précisément à le « préserver » et à le « protéger ». La même méthode est employée partout.

Tout cela est parfaitement naturel dans une société qui est très largement dirigée par les milieux d'affaires et où l'on consacre des sommes considérables au marketing : un milliard de dollars par an, soit un sixième du PIB, dont une bonne part déductible des impôts, si bien que les gens paient le privilège de voir leurs attitudes et leur comportement manipulés.

Mais dompter le grand animal est chose difficile. On a pensé plus d'une fois y être parvenu, avoir enfin atteint la « fin de l'Histoire », cette utopie chère aux maîtres. Exemple classique, celui des origines de la doctrine néolibérale au début du XIXe siècle : David Ricardo, Thomas Malthus et d'autres grandes figures de l'économie classique annoncèrent que la science nouvelle avait démontré, avec la même certitude que les lois de Newton, que l'on portait tort aux pauvres en tentant de leur venir en aide et que le meilleur service à rendre aux masses souffrantes était de les débarrasser de l'illusion dans laquelle elles vivaient d'avoir un droit à l'existence. Elles n'avaient en fait pas de droits du tout, hormis ceux qu'elles pouvaient obtenir sur un marché du travail soustrait à toute règle. Dans les années 1830, il semblait bien qu'en Angleterre cette doctrine l'avait emporté. Comme Karl Polanyi l'écrivait il y a cinquante ans dans son classique *The Great Transformation*, le triomphe de la pensée correcte au service des intérêts manufacturiers et financiers avait poussé de force le peuple britannique « sur les chemins d'une expérience utopique ». Il ajoutait que ce fut « la réforme la plus impitoyable » de toute l'Histoire, qui « écrasa une multitude de vies ». Mais survint alors un problème inattendu. Les masses, toujours aussi stupides, en conclurent : si nous n'avons pas le droit de vivre, alors vous n'avez pas le droit de gouverner. L'armée anglaise dut réprimer émeutes et désordres, et bientôt une menace encore plus grande prit forme : les travailleurs commencèrent à s'organiser, réclamant des lois sur le travail en usine, une législation sociale pour les protéger de la brutale expérience néolibérale – et souvent bien plus encore. La science, heureusement très souple, prit donc des formes nouvelles à mesure que l'opinion de l'élite évoluait en réponse à des forces populaires incontrôlables. Elle découvrit ainsi qu'il fallait préserver le droit à l'existence, par le biais d'une sorte de contrat social.

Par la suite, beaucoup eurent l'impression que l'ordre était restauré, bien que quelques-uns en fussent moins sûrs. Le célèbre artiste William Morris scandalisa les gens respectables en se déclarant socialiste lors d'une conférence à Oxford. Il admettait certes « l'opinion reçue selon laquelle un système concurrentiel de type "chacun pour soi et sauve qui peut" était le dernier système économique que le monde [aurait] à connaître ; il est parfait, et il a donc atteint son stade définitif ». Mais, poursuivait-il, si l'Histoire est réellement parvenue à son terme, alors « la civilisation mourra ». Ce qu'il se refusait à croire, en dépit des proclamations pleines de confiance « des hommes les plus instruits ». Il avait raison, comme les luttes populaires le montrèrent.

Aux États-Unis aussi, les années 1890 furent regardées comme l'expression de la « perfection » et du « stade définitif » de la société. Quand survinrent les « Années folles », on était persuadé que le mouvement syndical avait été écrasé pour de bon, que l'utopie des maîtres se réalisait enfin – ceci, écrit David Montgomery, historien de Yale, dans « une Amérique parfaitement antidémocratique », « créée en dépit des protestations de ses travailleurs ». Une fois de plus, la célébration était prématurée. Quelques années plus tard, le grand animal sortit une fois de plus de sa cage, et les États-Unis eux-mêmes, meilleur exemple de société gérée par les milieux d'affaires, furent contraints par les luttes populaires d'accorder des droits acquis depuis longtemps déjà dans des sociétés plus autocratiques.

Au lendemain de la Seconde Guerre mondiale, le grand capital lança une énorme campagne de propagande pour reprendre ce qu'il avait perdu. À la fin des années 1950, on pensait généralement que cet objectif avait été atteint. Daniel Bell, sociologue de Harvard, écrivait ainsi que le monde industriel était parvenu au stade de la « fin des idéologies ». Quelques années plus tôt, du temps où il était rédacteur en chef de *Fortune*, il avait signalé l'étendue « sidérante » des campagnes menées en vue de venir à bout des attitudes social-démocrates qui avaient persisté après la guerre.

Là encore, c'était chanter victoire trop tôt. Les événements des années 1960 montrèrent que le grand animal rôdait une fois de plus, ce qui ranima chez les « hommes responsables » la peur de la démocratie. La Commission trilatérale, fondée par David Rockefeller en 1973, consacra sa première grande étude à la « crise de la démocratie » dans le monde industriel : de larges secteurs de la population cherchaient à entrer dans l'arène publique. Les naïfs auraient pu y voir un pas vers la démocratie, mais pas la Commission : c'était là « un excès de démocratie », disait-elle, espérant pouvoir en revenir au temps où « Truman avait pu gouverner le pays avec l'aide d'un nombre relativement restreint de banquiers et d'avocats de Wall Street », comme le déclarait le rapporteur américain. C'était là la « modération démocratique » qui convenait. La Commission s'inquiétait tout particulièrement de l'échec des institutions chargées de ce qu'elle appelait « l'endoctrinement des jeunes » : écoles, universités, églises. Elle proposa des moyens de restaurer la discipline et de ramener le grand public à la passivité et à l'obéissance, afin de surmonter la « crise de la démocratie ».

La Commission représentait les secteurs les plus progressistes et les plus internationalistes du pouvoir et de la vie intellectuelle des États-Unis, de l'Europe et du Japon. C'est de ses rangs que sortit la quasi-totalité de l'administration Carter. La droite adopta une position beaucoup plus dure.

Les changements qu'a connus l'économie internationale depuis les années 1970 ont fourni de nouvelles armes aux maîtres, leur permettant d'éroder le contrat social qu'ils détestent tant et que les luttes populaires avaient permis d'imposer. Aux États-Unis, le spectre politique, qui a toujours été très étroit, s'est réduit au point de devenir quasiment invisible. Quelques mois après que Bill Clinton fut entré en fonctions, un éditorial du *Wall Street Journal* exprimait son bonheur : « Face à chaque problème, M. Clinton et son administration sont du même côté que l'Amérique des grandes entreprises », sous les acclamations de leurs dirigeants, ravis que, comme le déclara l'un d'eux, « nous nous entendions beaucoup mieux avec cette administration qu'avec les précédentes ».

Un an plus tard, ils découvrirent qu'ils pouvaient faire encore mieux ; en septembre 1995, *Business Week* annonça que le nouveau Congrès représentait « un grand moment pour les milieux d'affaires. Jamais tant de faveurs n'avaient été accordées avec autant d'enthousiasme aux chefs d'entreprise américains ». Lors des élections de novembre 1996, les deux candidats étaient en fait des républicains modérés et de vieux habitués des cercles gouvernementaux, représentant le monde des affaires. La presse économique déclara que la campagne était « d'un ennui sans précédent ». Les sondages montrèrent que l'intérêt du grand public était encore plus bas que lors des autres scrutins, où il était déjà très faible, et ce en dépit de dépenses électorales record ; ils révélèrent aussi que les électeurs méprisaient également les deux candidats, sans en attendre grand-chose.

Le fonctionnement du système démocratique provoque donc un mécontentement de grande ampleur. On a signalé un phénomène semblable en Amérique latine et, si les conditions sont tout à fait différentes, certaines des raisons sont communes aux deux régions. Le politologue argentin Atilio Boron souligne qu'en Amérique latine le processus démocratique a été mis en œuvre en même temps que les réformes néo-libérales, véritable catastrophe pour la majorité de la population. Elles ont eu des effets similaires dans le pays le plus riche du monde. Quand plus de 80 % de la population pensent que le système démocratique est une comédie, que l'économie est « injuste par nature », le « consentement des gouvernés » promet d'être tout à fait superficiel.

La presse économique parle d'une « sujétion du travail au capital au cours des quinze dernières années », qui a permis au second de remporter de nombreuses victoires. Mais elle met aussi ses lecteurs en garde : les beaux jours pourraient ne pas durer, en raison des « campagnes agressives » de plus en plus nombreuses de la part des travailleurs « pour s'assurer ce qu'ils appellent "un salaire permettant de vivre" » et « la garantie d'une plus grosse part du gâteau ».

Il vaut la peine de rappeler que nous avons déjà connu tout cela. On a souvent décrété la « fin de l'Histoire », la « perfection », le « stade définitif » – mais toujours à tort. Et, en dépit de toutes les sordides continuités, un optimiste pourra discerner, d'une manière que je crois réaliste, de lents progrès. Dans les pays industriels avancés, et souvent ailleurs, les luttes populaires peuvent partir d'un niveau plus élevé, et avec des espoirs plus grands, que pendant les années 1890 ou 1920, ou même qu'il y a trente ans. Et la solidarité internationale peut prendre des formes nouvelles et plus constructives à mesure que la grande majorité des peuples du monde en vient à comprendre que leurs intérêts sont très largement identiques, et qu'il est possible, en œuvrant ensemble, de les faire progresser. Il n'y a pas plus de raisons aujourd'hui qu'hier de croire que nous sommes enchaînés par des lois sociales mystérieuses, inconnues, et non simplement par des décisions prises au sein d'institutions soumises à la volonté humaine – des institutions *humaines*, qui doivent passer le test de la légitimité et qui, si elles échouent, peuvent être remplacées par d'autres, plus libres et plus justes – comme ce fut souvent le cas dans le passé.

[Une version de cet article a été publiée en Amérique latine dans des traductions espagnole et portugaise en 1996.]

III

La passion des marchés libres

« Pendant plus d'un demi-siècle, les Nations unies ont constitué le principal forum où les États-Unis ont tenté de créer un monde à leur image, manœuvrant avec leurs alliés en vue de forger des accords globaux sur les droits de l'homme, les tests nucléaires ou l'environnement qui, souligne Washington, reflètent leurs propres valeurs. » Telle est l'histoire de l'après-guerre, nous apprend le premier paragraphe d'un article de David Sanger paru en une du *New York Times*. Mais les temps changent. Ce texte paraît sous le titre : « Les États-Unis exportent les valeurs des marchés libres par le biais d'accords commerciaux mondiaux. » Ne s'appuyant plus sur l'ONU, l'administration Clinton se tourne vers la nouvelle Organisation mondiale du commerce (OMC) pour « exporter les valeurs américaines ». À terme, poursuit Sanger (citant le représentant des États-Unis), c'est l'OMC qui pourrait bien devenir l'instrument le plus efficace pour faire valoir « la passion de l'Amérique pour la dérégulation » et, plus généralement, pour la liberté des marchés, ainsi que les « valeurs américaines de liberté de la concurrence, d'équité des règles et de leur mise en œuvre efficace », à l'intention d'un monde qui tâtonne dans les ténèbres. Ces valeurs sont illustrées au mieux par ce qui incarne l'avenir : les télécommunications, Internet, la technologie informatique avancée, et autres merveilles suscitées par l'esprit d'entreprise américain, si exubérant, déchaîné grâce au marché, et enfin libéré de toute ingérence gouvernementale, par la révolution reaganienne.

Youssef Ibrahim, dans un autre article également paru en une du *New York Times*, nous apprend que « partout les gouvernements se convertissent à l'évangile de la liberté des marchés prêché dans les années 1980 par le président Reagan et le Premier ministre britannique Margaret Thatcher ». Il reprend là un thème connu. Qu'on le veuille ou non, zélotes et critiques, par-delà un grand éventail d'opinions, sont tous d'accord – si l'on s'en tient à la partie du spectre politique allant des libéraux à la gauche – pour estimer que « l'implacable avancée de ce que ses partisans appellent "la révolution des marchés" » et « le farouche individualisme reaganien » ont changé les règles du jeu dans le monde entier, tandis qu'aux États-Unis « républicains et démocrates sont également prêts à donner libre cours au marché » dans leur dévouement à la « nouvelle orthodoxie »[1].

Un tel tableau pose plusieurs problèmes. Le premier est le récit qu'il donne de l'après-guerre. Même ceux qui croient le plus à la « mission américaine » doivent savoir que les relations entre les États-Unis et l'ONU sont à peu de chose près l'inverse de ce que décrit le paragraphe cité en début de chapitre, et ce depuis que les Américains ont perdu le contrôle des Nations unies à la suite des progrès de la décolonisation, ce qui leur a valu de se retrouver régulièrement isolés dans leur opposition à de nombreux accords d'ensemble portant sur une quantité de questions et les a conduits à vouloir saper des composantes essentielles de l'ONU, en particulier celles d'orientation tiers-mondiste. Bien des questions relatives à l'histoire du monde peuvent être discutées, mais sûrement pas celle-là.

Pour ce qui est du « farouche individualisme reaganien » et de son adoration du marché, il suffira peut-être de citer l'examen d'ensemble des années Reagan paru dans *Foreign Affairs* sous la plume d'un haut responsable du Conseil des relations extérieures. Il note l'« ironie » du fait que Ronald Reagan, « le président qui, après guerre, a témoigné l'amour le plus ardent du laisser-faire, ait présidé au plus grand retour au protectionnisme depuis les années 1930[2] ». Il n'y a pourtant là aucune ironie ; il s'agit de l'application normale de l'« amour ardent du laisser-faire » : la discipline du marché vaut pour *vous*, mais pas pour *moi*, à moins que le jeu ne soit truqué en ma faveur, généralement à la suite d'une intervention étatique de grande ampleur. Il est difficile de trouver dans l'histoire économique des trois derniers siècles un thème à ce point récurrent.

Les reaganiens empruntaient des sentiers battus – que les « conservateurs » à la Gingrich ont récemment transformés en scène de comédie – en exaltant les splendeurs du marché et en mettant sévèrement en garde les pauvres du monde entier contre les effets débilitants de la dépendance, tout en se flattant auprès des milieux d'affaires que Reagan ait « davantage protégé l'industrie américaine des importations que n'importe lequel de ses prédécesseurs depuis cinquante ans » – plus que tous ses prédécesseurs réunis, en fait. Dans le même temps, ils menaient « un assaut soutenu » contre le principe de libre-échange poursuivi par les riches et les puissants depuis le début des années 1970, comme le déplore dans une étude érudite un économiste du secrétariat du GATT, Patrick Low, qui estime que l'effet restrictif des mesures reaganiennes est environ trois fois celui des autres grands pays industriels[3].

Le plus grand « retour au protectionnisme » n'était qu'une partie de l'« assaut soutenu » contre les principes de liberté du commerce, accéléré par le « farouche individualisme reaganien ». Autre élément du tableau : le transfert d'énormes fonds publics aux pouvoirs privés, souvent sous le déguisement habituel de la « sécurité ». Cette histoire vieille de plusieurs siècles se répète aujourd'hui sans changements notables, et pas seulement aux États-Unis, bien que la tromperie et l'hypocrisie y aient atteint de nouveaux sommets.

L'Angleterre de Margaret Thatcher est un bon exemple pour illustrer « l'évangile des marchés libres ». Pour nous en tenir à quelques révélations de ces derniers mois (début 1997), « au cours de la période qui vit s'exercer les pressions maximales en faveur de ventes d'armes à la Turquie », rapporte l'*Observer* de Londres, Thatcher « est intervenue personnellement pour qu'une somme de 22 millions de livres, prélevée sur le budget britannique d'assistance outre-mer, contribue à la création du métro d'Ankara. Le projet était trop dispendieux et en 1995 il fut reconnu » par Douglas Hurd, le ministre des Affaires étrangères, « contraire à la loi ». L'événement valait la peine d'être noté juste après le scandale du barrage de Pergau, qui révéla le versement par Thatcher de subventions illégales « afin d'"adoucir" des contrats de vente d'armes conclus avec le régime malaisien » – et à l'occasion duquel la Haute Cour rendit un jugement contre Hurd. Sans parler des garanties de crédit et des arrangements financiers du gouvernement, ni de la panoplie de mesures permettant le transfert de fonds publics à l'« industrie de la défense », qui ont pour effet plus général d'assurer de nombreux profits aux secteurs industriels avancés.

Peu de temps auparavant, le même journal signalait « que près de 2 millions d'enfants britanniques sont en mauvaise santé et souffrent de retards de croissance en raison de la malnutrition », due à « une pauvreté d'une ampleur inconnue depuis les années 1930 ». La tendance à l'amélioration de la santé s'est inversée et les maladies infantiles jusque-là contrôlées sont désormais en augmentation grâce à cet « évangile des marchés » hautement sélectif, si vivement admiré par ceux qui en sont les bénéficiaires.

Quelques mois plus tôt, un gros titre annonçait : « Un bébé britannique sur trois naît dans la pauvreté », celle des enfants « ayant été multipliée par près de trois depuis l'élection de Margaret Thatcher ». Une autre manchette proclamait : « Les maladies du temps de Dickens reviennent hanter l'Angleterre d'aujourd'hui », et l'article citait des études concluant qu'« en Grande-Bretagne les conditions sociales redeviennent ce qu'elles étaient il y a un siècle ». Les effets des coupures de gaz, d'électricité, d'eau et de téléphone sont particulièrement sinistres pour « un grand nombre de foyers » à mesure que la privatisation suit son cours habituel, avec une grande variété de mesures favorisant « des clients plus aisés » et revenant à imposer « une surtaxe aux pauvres », ce qui conduit à « un gouffre de plus en plus profond entre riches et pauvres en matière d'énergie », ainsi que dans les fournitures d'eau et d'autres services. Les « coupes sauvages » dans les programmes sociaux mènent la nation « au bord de la panique à l'idée d'un effondrement social imminent ». Mais l'industrie et la finance tirent d'agréables profits des mêmes choix politiques. Et, pour couronner le tout, les dépenses publiques, après dix-sept ans d'évangile thatchérien, représentent toujours 42,25 % du PIB, comme lorsqu'elle parvint au pouvoir[4].

Il n'y a rien d'inattendu dans tout cela.

L'Organisation mondiale du commerce :
« Exporter les valeurs américaines »

Mettons de côté la surprenante opposition entre doctrine et réalité et voyons ce que peut nous apprendre un examen de l'ère nouvelle qui s'offre à nos yeux – beaucoup de choses, je crois.

L'article du *New York Times* sur « l'exportation des valeurs américaines de liberté des marchés » célèbre l'accord de l'OMC sur les télécommunications. L'un de ses effets bienvenus est de fournir à Washington un « nouvel outil de politique étrangère ». L'accord « donne à l'OMC le pouvoir de pénétrer les frontières des 70 pays qui l'ont signé », et cela n'est pas un secret que les institutions internationales ne peuvent fonctionner que dans la mesure où elles s'en tiennent aux exigences des puissants, en particulier les États-Unis. Dans le monde réel, ce « nouvel outil » leur permet donc d'intervenir en profondeur dans les affaires intérieures des autres, de les contraindre à modifier leurs lois et leurs pratiques. Plus important encore, l'OMC veillera à ce que les autres pays « respectent l'engagement pris d'autoriser les investissements étrangers » sans restrictions, et ce dans des secteurs essentiels de leur économie. Dans le cas qui nous intéresse, le résultat probable est clair pour tout le monde : « Les bénéficiaires les plus évidents de cette ère nouvelle sont les grosses entreprises américaines, qui sont les mieux placées pour dominer un terrain de jeu nivelé », fait remarquer la *Far Eastern Economic Review*[5], de même qu'une mégaentreprise américano-britannique.

Ces perspectives ne ravissent pas tout le monde. Les gagnants le reconnaissent, et proposent leur interprétation : selon Sanger, d'autres craignent que « les géants américains des télécommunications […] puissent submerger les monopoles avachis, protégés par les États, qui ont longtemps dominé le secteur en Europe et en Asie » – comme ils l'ont fait d'ailleurs aux États-Unis, bien après qu'ils furent devenus l'État et l'économie les plus puissants du monde. Il vaut également la peine de noter que certaines des plus importantes contributions à la technologie moderne (ainsi les transistors, pour ne citer qu'un exemple) sont sorties des laboratoires de recherche du « monopole avachi protégé par l'État » qui a régné sur le secteur américain des télécommunications jusque dans les années 1970. Libéré des rigueurs du marché, il a pu satisfaire les besoins des secteurs avancés de l'industrie par transfert de fonds publics (parfois de manière détournée, par le pouvoir de son monopole, contrairement aux méthodes plus directes du système mis en place par le Pentagone).

Ceux qui, en toute irrationalité, se raccrochent au passé, voient les choses un peu différemment. La *Far Eastern Economic Review* fait remarquer que des emplois seront perdus en Asie et que « de nombreux consommateurs asiatiques devront payer davantage pour le téléphone avant de pouvoir payer moins ». Mais quand paieront-ils moins ? Pour voir se lever l'aube d'un avenir radieux, il est nécessaire que les investisseurs étrangers soient « encouragés […] à agir de manière socialement désirable » – et pas simplement en gardant l'œil fixé sur les profits et les services rendus aux riches et au monde des affaires. Comment un tel miracle pourra se produire, voilà qui n'est pas expliqué, bien que la suggestion ne puisse manquer de susciter d'intenses réflexions dans les sièges sociaux des grandes sociétés.

Dans le délai prévu pour sa mise en place, l'accord de l'OMC prévoit d'augmenter les coûts de service du téléphone pour la plupart des consommateurs asiatiques, continue la revue. « Le fait est que relativement peu d'entre eux bénéficieront des tarifs moins élevés vers l'étranger » auxquels on s'attend avec la mainmise sur le secteur d'énormes sociétés étrangères, principalement américaines. En Indonésie, par exemple, seuls 300 000 clients – c'est-à-dire le milieu des affaires –, sur une population de près de 200 millions d'individus, téléphonent à l'étranger. « En règle générale, il est très probable que le coût des communications locales augmentera », selon David Barden, analyste régional de ce secteur à J.P. Morgan Securities à Hong Kong. Mais, poursuit-il, ce sera pour le bien de tous : « Si le secteur n'était pas profitable, il n'existerait pas. » Et maintenant que de plus en plus de biens publics sont cédés aux grandes sociétés étrangères, mieux vaut que les profits soient garantis – aujourd'hui les télécommunications, demain un éventail beaucoup plus large de services apparentés. La presse économique prédit que, « les communications personnelles sur Internet [y compris les réseaux et les interactions des grandes sociétés] devant dépasser les télécommunications en cinq ou six ans, les compagnies de téléphone ont tout intérêt à passer au business en ligne ». Réfléchissant à l'avenir de sa propre compagnie, Andrew Grove, directeur général d'Intel, voit dans Internet « le plus grand changement de notre environnement » actuel. Il s'attend à une très forte croissance pour « les fournisseurs d'accès, les gens impliqués dans la création du Web, ceux qui fabriquent les ordinateurs » (les « gens » signifiant ici les grandes sociétés) et l'industrie de la publicité, dont le chiffre d'affaires annuel se monte déjà à près de 350 milliards de dollars et qui prévoit de nouvelles occasions grâce à la privatisation d'Internet, qui devrait transformer celui-ci en un oligopole mondial[6].

Pendant tout ce temps, ailleurs, la privatisation se poursuit à vive allure. Pour prendre un exemple significatif, le gouvernement brésilien, en dépit d'une très vive opposition populaire, a décidé de privatiser la compagnie Vale, qui contrôle de vastes ressources minérales (fer, uranium et autres) ainsi que des installations industrielles et des moyens de transport, y compris de technologie sophistiquée. Vale réalise de gros bénéfices – son revenu annuel dépassait 5 milliards de dollars en 1996 – et ses perspectives d'avenir sont excellentes : c'est l'une des six entreprises d'Amérique latine classées parmi les 500 plus profitables du monde. Une étude menée par des spécialistes de l'École d'ingénierie de l'université fédérale de Rio estime que le gouvernement a gravement sous-évalué la firme, notant de surcroît qu'il s'est fondé sur une analyse « indépendante » de Merrill Lynch, société qui se trouve être associée au conglomérat anglo-américain cherchant à prendre le contrôle de cet élément essentiel de l'économie brésilienne. Le gouvernement a repoussé les conclusions de cette étude avec fureur. Si elles sont exactes, on se trouve dans un cas de figure très familier[7].

Petit aparté : les communications et l'uranium sont deux choses très différentes. La concentration des premières entre un petit nombre de mains (en particulier étrangères) suscite des questions assez graves sur la nature d'une véritable démocratie. Il en va de même avec la concentration financière, qui compromet la participation populaire à la planification économique et sociale. Le contrôle sur les ressources alimentaires en soulève d'autres encore plus sérieuses, cette fois de simple survie. Il y a un an [en 1996], le secrétaire général de la FAO (Organisation des Nations unies pour l'alimentation et l'agriculture), évoquant « la crise alimentaire consécutive à une énorme augmentation du prix des céréales cette année », a prévenu que les pays « doivent devenir plus autonomes pour ce qui touche à la production alimentaire[8] ». La FAO conseille aux « pays en voie de développement » d'inverser les politiques que le « consensus de Washington » leur a imposées, et qui ont un effet désastreux pour une bonne part de la planète tout en se révélant une bénédiction pour l'agrobusiness – et aussi, soit dit en passant, pour le trafic de drogue, qui est sans doute le succès le plus spectaculaire des réformes néo-libérales si on les juge à l'aune des « valeurs des marchés libres » que « les États-Unis exportent ».

La mainmise des grandes sociétés étrangères sur la production alimentaire est bien entamée et, l'accord sur les télécommunications étant signé, les services financiers devraient bientôt suivre.

Pour nous résumer, les conséquences prévisibles de la victoire des « valeurs américaines » à l'OMC sont :

1. un « nouvel outil » permettant une intervention américaine de grande ampleur dans les affaires intérieures des autres pays ;

2. la mainmise de grandes sociétés installées aux États-Unis sur des secteurs cruciaux des économies étrangères ;

3. des bénéfices pour les milieux d'affaires et les riches ;

4. le transfert des coûts de l'opération aux populations ;

5. l'emploi d'armes nouvelles, potentiellement puissantes, contre la menace démocratique.

Une personne rationnelle pourrait se demander si ces attentes ont quoi que ce soit de commun avec la célébration des accords, ou si elles sont la simple retombée accessoire d'une victoire de principe fêtée par attachement à des valeurs supérieures. Ce scepticisme est renforcé si l'on confronte le tableau, cité en début d'article, que brosse le *New York Times* de l'après-guerre avec des faits incontestés. Il s'accentue encore si l'on jette un coup d'œil sur certaines régularités frappantes de l'Histoire : ainsi le fait que ceux qui sont en position d'imposer leurs projets non seulement les célèbrent avec enthousiasme mais en tirent profit – que les valeurs ainsi professées concernent la liberté du commerce ou d'autres grands principes, lesquels en pratique se révèlent étroitement adaptés aux besoins de ceux qui contrôlent le jeu et en saluent la conclusion. La simple logique incite à se montrer quelque peu sceptique quand ce motif se répète ; l'Histoire devrait élever cette tendance un cran plus haut.

En fait, nous n'avons même pas besoin de chercher aussi loin.

L'Organisation mondiale du commerce :
un forum inadapté

Le jour où il rapportait en une la victoire des valeurs américaines à l'OMC, le *New York Times* mettait en garde l'Union européenne : qu'elle ne s'avise pas de se tourner vers cet organisme pour qu'il statue sur les plaintes qu'elle formule à l'égard des États-Unis en raison de leur violation des accords sur la liberté du commerce. Au sens strict, il est question du Helms-Burton Act, qui « enjoint aux États-Unis d'imposer des sanctions aux compagnies étrangères commerçant avec Cuba ». Ces sanctions « empêcheraient effectivement les firmes d'exporter vers les États-Unis, ou d'avoir avec eux des relations commerciales, même si leurs activités et leurs produits n'ont rien à voir avec Cuba » (Peter Morici, ancien directeur économique de la commission du Commerce international américaine). Les pénalités ne sont pas minces, même sans tenir compte de menaces plus directes contre les individus et les compagnies qui franchissent une ligne tracée unilatéralement par Washington. Les responsables du *New York Times* considèrent cette loi comme « un effort mal inspiré, de la part du Congrès, pour imposer aux autres sa politique étrangère », et Morici s'y oppose parce qu'elle « a plus d'inconvénients que d'avantages » pour les États-Unis. De façon plus générale, la question en jeu est celle de l'embargo lui-même, « l'étranglement économique américain de Cuba », dans lequel la rédaction du *New York Times* voit « un anachronisme de la guerre froide » auquel il vaudrait mieux renoncer parce qu'il est devenu préjudiciable aux intérêts économiques américains[9].

Mais il ne s'agit pas de soulever des questions plus vastes sur le caractère juste ou injuste de la chose, et l'affaire, conclut le *New York Times*, est « fondamentalement une querelle politique », qui ne touche en rien aux « obligations relatives à la liberté du commerce » de Washington. Comme beaucoup d'autres, le quotidien part apparemment du principe que si l'Europe persiste, l'OMC a toutes les chances de trancher au détriment des États-Unis. Il s'ensuit que l'OMC n'est pas un forum adapté.

C'est là une logique simple et tout à fait classique. Dix ans plus tôt, et pour les mêmes raisons, on a estimé que la Cour internationale de justice de La Haye n'avait pas à juger des accusations du Nicaragua contre Washington.

Les États-Unis refusèrent de reconnaître son pouvoir de juridiction. Quand elle les condamna pour « usage illégal de la force », leur ordonnant de mettre un terme à leurs opérations terroristes, à leur violation des traités et à la guerre économique tout aussi illégale qu'ils menaient, et leur imposant le paiement de réparations substantielles, le Congrès, contrôlé par les démocrates, réagit aussitôt par une escalade des mêmes crimes, tandis que la Cour était dénoncée de tous côtés comme un « forum hostile » qui se discréditait en rendant une telle sentence. C'est à peine si les médias rapportèrent son jugement, où elle indiquait notamment que l'aide aux *contras* était « militaire » et non « humanitaire ». Cette assistance se poursuivit, et les États-Unis conservèrent la direction des forces terroristes jusqu'à ce qu'ils parviennent à imposer leur volonté. L'histoire officielle s'en tient aux mêmes conventions.

Puis les États-Unis opposèrent leur veto à une résolution du Conseil de sécurité demandant à tous les États de respecter le droit international (incident tout juste signalé), et votèrent seuls (avec Israël et le Salvador) contre une résolution de l'Assemblée générale réclamant « un respect immédiat et complet » de la décision de la Cour internationale – ce dont les médias ne parlèrent pas du tout. Il en alla de même l'année suivante lorsque cette résolution fut renouvelée – cette fois, seul Israël vota avec les États-Unis. Toute l'affaire illustre parfaitement la manière dont ces derniers se sont servis de l'ONU comme d'un « forum » pour imposer leurs propres valeurs (voir la citation au début du présent chapitre).

Pour en revenir à l'affaire qui nous intéresse concernant l'OMC, Washington, en novembre 1996, vota seul (avec Israël et l'Ouzbékistan) contre une autre résolution de l'Assemblée générale, soutenue par tous les pays de l'Union européenne, lui demandant de mettre un terme à

l'embargo contre Cuba. L'Organisation des États américains (OEA) avait déjà voté à l'unanimité le rejet du
Helms-Burton Act et demandé à son organisme juridique
(le Comité juridique interaméricain) de se prononcer sur
sa légalité. En août 1996, celui-ci, à l'unanimité de ses
membres, édicta que cette loi violait le droit international.
Un an plus tôt, la commission des Droits de l'homme de
l'OEA avait condamné pour les mêmes raisons les restrictions américaines à l'envoi de nourriture et de médicaments à Cuba. L'administration Clinton réagit en
expliquant que l'envoi de médicaments n'était pas interdit
à proprement parler, mais simplement empêché par des
conditions si onéreuses et menaçantes que les plus
grandes sociétés elles-mêmes, aux États-Unis comme
ailleurs, rechignaient à les affronter (énormes pénalités
financières et emprisonnement pour ce que Washington
décide de considérer comme une violation des « règles de
la distribution », accès au territoire américain interdit aux
navires et aux avions, campagnes médiatiques, etc.). En
revanche, les envois de nourriture étaient bel et bien inter-
dits, mais Washington fit valoir qu'il y avait ailleurs « de
nombreux fournisseurs » (certes à des prix autrement plus
élevés), si bien que cette franche violation du droit international n'en était pas une à proprement parler. La question ayant été portée par l'Union européenne devant
l'OMC, les États-Unis se retirèrent des débats, comme ils
l'avaient fait au moment de l'affaire de la Cour internationale, ce qui mit un terme à la question[10].

En bref, le monde que les Américains ont cherché
à « créer à leur image » par le biais des institutions
internationales repose sur le droit du plus fort. Et la
« passion américaine pour la liberté des marchés »
implique que Washington peut violer à sa guise les
traités commerciaux. Quand les grandes sociétés

étrangères (principalement américaines) font main basse sur les communications, la finance ou les ressources alimentaires, pas de problème. Mais il en va tout autrement quand ces accords, ou le droit international, viennent à gêner les projets des puissants – là encore, en parfaite conformité avec les leçons que nous livre l'Histoire.

Nous en apprendrons davantage en enquêtant sur les raisons qui motivent le rejet américain de ces accords et du droit. Dans le cas du Nicaragua, Abraham Sofaer, conseiller juridique au Département d'État, expliqua que si les États-Unis avaient accepté de reconnaître la juridiction du tribunal international à la fin des années 1940, c'était parce que la majorité des membres de l'ONU était alors « alignée sur les États-Unis et partageait leur point de vue sur l'ordre mondial ». Mais désormais « on ne peut espérer que nombre d'entre eux partageront notre interprétation de la conception constitutionnelle d'origine de la Charte des Nations unies », car « la même majorité s'oppose souvent aux États-Unis sur des questions internationales importantes ». On comprend donc parfaitement que, depuis les années 1960, les États-Unis soient, et de loin, les champions du veto contre les résolutions de l'ONU, et ce sur des sujets très divers – droit international, droits de l'homme, protection de l'environnement, et ainsi de suite –, position qui contredit totalement la version standard reprise par David Sanger dans le *New York Times*. Peu après la parution de son article, les États-Unis progressèrent encore d'un cran, opposant leur 71e veto depuis 1967. Quand la question (il s'agissait des implantations israéliennes à Jérusalem) fut soumise à l'Assemblée générale, ils furent les seuls, avec Israël, à s'y opposer – là encore, une attitude bien familière[11].

Tirant les conclusions « naturelles » de l'instabilité du monde, Sofaer expliquait ensuite que nous devons désormais « nous réserver le pouvoir de décider si la juridiction du tribunal [international] s'étend sur nous dans tel ou tel cas particulier ». Le vieux principe, plus que jamais à mettre en œuvre dans un monde qui n'est plus suffisamment obéissant, est que « les États-Unis n'acceptent aucune juridiction contraignante sur quelque querelle que ce soit, dès lors qu'elle implique des questions qui sont fondamentalement du ressort de leur législation intérieure, telle qu'ils l'ont définie » – la « question intérieure » étant ici l'agression américaine contre le Nicaragua[12].

Ce principe de base fut élégamment formulé par Madeleine Albright, nouvelle secrétaire d'État, quand elle morigéna le Conseil de sécurité, peu désireux d'accepter les exigences américaines sur l'Irak : les États-Unis « agiront multilatéralement chaque fois qu'ils le pourront, et unilatéralement s'ils y sont contraints ». C'était refuser d'admettre une quelconque contrainte extérieure dans tout secteur jugé « vital pour les intérêts nationaux des États-Unis » – tels qu'eux-mêmes les définissent[13]. Les Nations unies constituent un forum approprié tant que l'on peut « compter sur ses membres » pour partager les vues de Washington, pas quand la majorité « s'oppose aux États-Unis sur des questions internationales importantes ». Le droit international et la démocratie sont de belles choses, mais qui – à l'instar de la liberté du commerce – doivent être jugées sur leurs résultats, et non pas selon leurs processus normaux.

Ainsi, l'attitude américaine dans l'affaire de l'OMC n'a rien de bien nouveau. Washington a déclaré que l'organisation n'avait « aucune compétence pour juger » d'une question touchant à la sécurité nationale des États-Unis, et il nous faut donc comprendre que notre existence même est en jeu dans l'étranglement de l'économie cubaine. Un porte-parole de l'administration Clinton a ajouté qu'un jugement de l'OMC contre les États-Unis, rendu *in absentia*, n'aurait aucune signification, car « nous ne croyons pas que tout ce que l'OMC fasse ou dise puisse contraindre notre pays à changer ses lois ». Souvenons-nous que le grand mérite de l'accord sur les télécommunications de l'OMC était d'en faire un « nouvel outil de politique étrangère » contraignant les autres pays à modifier leurs lois et leurs pratiques conformément aux exigences américaines...

La règle de base est que les États-Unis sont à l'abri de toute ingérence de l'OMC pour ce qui touche à leurs propres lois, tout comme eux seuls sont libres de violer le droit international comme ils l'entendent, bien que ce privilège puisse être étendu à leurs États clients si les circonstances l'exigent. Là encore, les principes fondamentaux de l'ordre mondial sont énoncés avec une parfaite clarté.

Les précédents accords du GATT toléraient des exceptions liées à la sécurité nationale, et c'est au nom de celle-ci que Washington avait justifié son embargo contre Cuba – « mesure prise pour défendre les intérêts fondamentaux de la sécurité des États-Unis ». L'accord de l'OMC autorise également chacun de ses membres à entreprendre « toute action qu'il juge nécessaire à la protection » de ces mêmes intérêts, mais seulement dans trois domaines clairement définis : les matières fissiles, le trafic d'armes et les actions « entreprises en temps de guerre ou en cas d'urgence dans le cadre des relations internationales[14] ». Peut-être soucieuse de ne pas voir enregistrée officiellement une si complète absurdité, l'administration Clinton n'invoqua pas formellement cette « exemption liée à la sécurité nationale », tout en faisant clairement comprendre que la question était bien là.

Au moment où j'écris, l'Union européenne et les États-Unis s'efforcent de conclure un accord avant le 14 avril [1997], date à laquelle les auditions de l'OMC sont censées commencer. En attendant, le *Wall Street Journal* nous apprend que Washington « déclare ne pas vouloir coopérer avec les commissions de l'OMC, faisant valoir que celle-ci n'a pas juridiction sur les questions de sécurité nationale[15] ».

Pensées indécentes

Les gens polis ne sont pas censés se souvenir des réactions qui, en 1961, accueillirent les efforts de Kennedy en vue d'organiser une action collective contre Cuba. Au Mexique, un diplomate expliqua que son pays ne pouvait y prendre part : « Si nous déclarons publiquement que Cuba menace notre sécurité, 40 millions de Mexicains mourront de rire[16]. » Ce qui nous donne une idée plus juste de ces menaces.

Apparemment, personne ne mourut de rire quand Stuart Eizenstat, porte-parole de l'administration, justifia le rejet par Washington des accords de l'OMC en faisant valoir que « l'Europe [défiait] "trois décennies d'une politique cubaine remontant à Kennedy", et qui vise uniquement à provoquer un changement de régime à La Havane[17] ». Une réaction mesurée est donc parfaitement en conformité avec le principe selon lequel les États-Unis ont le droit absolu de renverser un autre gouvernement – en ce cas précis par l'agression, la terreur à grande échelle et l'étranglement économique.

Cette hypothèse ne semble toujours pas devoir être remise en question, mais l'historien Arthur Schlesinger a critiqué les déclarations d'Einzenstat pour des raisons plus limitées. Rappelant qu'il avait été « l'un de ceux impliqués dans la politique cubaine de l'administration Kennedy », il fit remarquer qu'Eizenstat l'avait mal comprise : elle visait les « perturbations [provoquées par Cuba] dans l'hémisphère » et « ses rapports avec les Soviétiques ». Mais tout cela était désormais derrière nous, si bien que la politique de Clinton était, en ce domaine, un anachronisme – bien que, pour le reste, elle ne semblât pas devoir susciter d'objections[18].

Schlesinger n'expliquait pas ce qu'il entendait par « perturbations » et « rapports avec les Soviétiques », mais il l'avait fait ailleurs, en secret. Au début de 1961, exposant au nouveau Président les conclusions d'une mission latino-américaine, il explicita le problème des « perturbations » dues à Castro : « la diffusion de l'idée castriste de prendre soi-même les choses en main ». C'est là une grave question, ajoutait Schlesinger peu après, car « la répartition des terres et des autres formes de richesse nationale favorise grandement les classes propriétaires, [et] les pauvres et les dépossédés, stimulés par l'exemple de la révolution cubaine, exigent désormais le droit à une vie décente ». Il clarifiait également la menace que représentaient les « rapports avec les Soviétiques » : « Pendant ce temps, l'Union soviétique agit en coulisses, accordant de gros prêts pour le développement et se présentant comme le modèle d'une modernisation réussie en une seule génération. » C'est ainsi, et beaucoup plus largement, que furent perçus ces « rapports » à Washington et à Londres des origines de la guerre froide, après 1917, aux années 1960, date à laquelle les archives dont nous disposons cessent d'être accessibles.

Schlesinger recommandait également au nouveau Président l'emploi d'« un certain nombre de grandes phrases » sur « les objectifs élevés de la culture et de l'esprit », lesquelles « feront frissonner les foules au sud de la frontière, où les considérations métahistoriques sont vivement admirées ». Pendant ce temps, les Américains s'occuperaient des choses sérieuses. Pour montrer simplement à quel point les temps changeaient, Schlesinger avait le bon sens de critiquer « la sinistre influence du Fonds monétaire international », qui mettait alors en œuvre la version années 1950 de l'actuel « consensus de Washington » (« ajustements structurels », « néo-libéralisme »)[19]. Ces explications (confidentielles) nous permettent d'avancer un peu dans la compréhension des réalités de la guerre froide. Mais c'est un autre sujet.

Des « perturbations » analogues, bien au-delà de l'hémisphère, ont posé des problèmes qui n'ont rien d'insignifiant et continuent à diffuser des idées dangereuses chez des gens « qui exigent désormais le droit à une vie décente ». À la fin de février 1996, alors que les États-Unis s'indignaient de voir Cuba abattre deux avions d'un groupe anticastriste basé en Floride, ceux-ci ayant à plusieurs reprises violé l'espace aérien cubain et lâché au-dessus de La Havane des brochures appelant les Cubains à la révolte (et des membres du groupe ayant également pris part à des attaques terroristes continues contre l'île, selon des sources cubaines), les agences de presse transmettaient des nouvelles tout à fait différentes. Associated Press fit ainsi savoir qu'en Afrique du Sud « une foule en liesse avait accueilli en chantant des médecins cubains » invités par le gouvernement Mandela « pour améliorer les soins médicaux dans les régions rurales les plus pauvres ». « Cuba compte 57 000 médecins pour 11 millions de personnes, contre 25 000 en Afrique du Sud pour

40 millions d'habitants. » Parmi les 101 médecins cubains figuraient des spécialistes de haut niveau qui, s'ils avaient été sud-africains, auraient « eu toutes les chances de travailler au Cap ou à Johannesburg » pour des revenus représentant le double de ce qu'ils toucheraient dans les zones défavorisées où ils se rendaient. « Depuis qu'a commencé le programme d'envoi outre-mer de spécialistes de la santé publique en 1963 en Algérie, Cuba a ainsi envoyé 51 820 médecins, dentistes, infirmières et autres personnels soignants » dans « les nations les plus pauvres du Tiers Monde », fournissant dans la plupart des cas « une assistance médicale totalement gratuite ». Un mois après l'accueil des Sud-Africains, les spécialistes cubains furent invités par Haïti à venir étudier une épidémie de méningite[20].

En 1988, un grand journal ouest-allemand signalait que Cuba était considéré dans le Tiers Monde comme « une superpuissance internationale » en raison des enseignants, ouvriers du bâtiment, médecins et autres impliqués dans « l'aide internationale ». En 1985, 16 000 Cubains travaillaient ainsi dans des pays en voie de développement – soit deux fois le total des membres du Peace Corps et des spécialistes américains du sida. Trois ans plus tard, Cuba comptait « plus de médecins travaillant à l'étranger que n'importe quel pays industrialisé, et davantage que l'Organisation mondiale de la santé ». Cette assistance ne donne lieu, pour l'essentiel, à aucune compensation, et les « émissaires internationaux » cubains sont « des hommes et des femmes vivant dans des conditions que la majorité de ceux qui travaillent à l'aide au développement n'accepteraient pas » ; c'est même « la raison de leur succès ». Pour les Cubains, poursuit l'article, cette activité est « un signe de maturité politique », enseigné dans les écoles comme « la plus haute des vertus ». Le chaleureux accueil réservé par une délégation de l'ANC en 1996, les foules chantant « Longue vie à Cuba », témoignent du même phénomène[21].

Incidemment, nous pourrions nous demander comment les États-Unis réagiraient si des avions libyens, volant au-dessus de New York et de Washington, lâchaient des brochures appelant les Américains à se révolter, et ce après des années d'attaques terroristes contre des cibles situées sur le sol national ou à l'étranger. Peut-être en les couronnant de fleurs ? Quelques semaines après que les deux avions eurent été abattus, Barrie Dunsmore, de la chaîne de télévision ABC, nous donna un indice en citant Walter Porges, ancien vice-président de la chaîne responsable des actualités. Porges rapportait que, lorsqu'une équipe d'ABC volant à bord d'un avion privé avait voulu filmer la 6e flotte américaine, déployée en Méditerranée, « elle avait été prévenue de s'éloigner immédiatement, faute de quoi l'appareil serait abattu », ce qui « aurait été légal aux termes du droit international définissant l'espace militaire aérien ». Bien entendu, il en va tout autrement quand un petit pays est attaqué par une superpuissance[22].

Un nouveau coup d'œil en arrière pourrait nous être utile. Contrairement à ce qu'affirme Eizenstat, la décision de renverser le gouvernement cubain ne remonte pas à Kennedy, mais à son prédécesseur, Eisenhower : elle fut prise en secret dès mars 1960. Castro serait balayé au profit d'un régime « davantage dévoué aux intérêts véritables du peuple cubain et plus acceptable par les États-Unis », étant bien entendu que l'opération devrait être menée « de telle sorte qu'il n'y ait aucune apparence d'intervention américaine », en raison des réactions prévisibles en Amérique latine – et aussi, sans doute, pour épargner aux idéologues doctrinaires américains un surcroît de travail. À l'époque, hormis Schlesinger, personne ne parlait de « rapports avec les Soviétiques » ni de « perturbations dans l'hémisphère ». Les archives déclassifiées révèlent également que l'administration Kennedy savait que ses efforts violaient le droit international tout comme la Charte des Nations unies et celle de l'OEA ; mais ces considérations furent mises de côté sans donner lieu à discussions[23].

Washington décidant de ce qu'étaient « les véritables intérêts du peuple cubain », il était inutile que les responsables gouvernementaux américains tiennent compte des sondages d'opinion réalisés dans l'île, qui soulignaient le soutien populaire accordé à Castro et l'optimisme pour l'avenir. Pour les mêmes raisons, les informations dont on dispose aujourd'hui sur ces questions n'ont aucune importance. L'administration Clinton sert « les véritables intérêts du peuple cubain » en lui imposant disette et misère, quoi que puissent indiquer les études sur l'opinion des intéressés. En décembre 1994, par exemple, des sondages effectués par une filiale de Gallup montraient que la moitié de la population considérait l'embargo comme « la principale cause des problèmes de Cuba », tandis que 3 % estimaient que la situation politique était « le plus grave problème auquel Cuba devait faire face » ; 77 % des personnes interrogées voyaient dans les États-Unis le « pire ami » de Cuba (aucun autre pays ne dépassait les 3 %) ; à deux contre un, les Cubains pensaient que la révolution avait connu plus de succès que d'échecs – le « principal échec » étant d'avoir « dépendu de pays socialistes tels que la Russie qui nous ont trahis » ; la moitié des sondés se définissaient comme « révolutionnaires », 20 % comme « communistes » ou « socialistes »[24]. Exactes ou non, ces conclusions sur les positions du grand public n'ont de toute façon aucune importance ; attitude classique, valable aussi aux États-Unis mêmes.

Les amateurs d'histoire se rappelleront sans doute que la politique cubaine des États-Unis remonte en fait aux années 1820, quand l'opposition de l'Angleterre empêcha Washington de prendre le contrôle de l'île. John Quincy Adams, secrétaire d'État (et futur président), y voyait « un objet de la plus haute importance pour les intérêts politiques et commerciaux de notre Union », mais il conseillait la patience ; avec le temps, prédisait-il, l'île tomberait entre les mains des États-Unis en raison des « lois de la gravitation politique », « comme un fruit mûr ». C'est bien ce qui arriva, les relations de pouvoir ayant suffisamment évolué pour que les États-Unis puissent, à la fin du siècle, libérer l'île (de ses habitants), la transformer en plantation américaine et en paradis pour les touristes et le syndicat du crime.

L'ancienneté de cette volonté de régner sur Cuba peut aider à expliquer l'hystérie si frappante dans l'exécution de ce dessein – par exemple l'ambiance « presque sauvage » de la première réunion du cabinet présidentiel après le fiasco du débarquement dans la baie des Cochons, telle que la décrit Chester Bowles, et « la recherche frénétique d'un programme d'action ». L'hystérie transparaît dans les déclarations publiques de Kennedy : l'incapacité d'agir amènerait les Américains « à être balayés avec les débris de l'Histoire ». Les initiatives de Clinton, indirectes ou publiques, trahissent une semblable volonté fanatique de vengeance, de même que les menaces et les poursuites judiciaires, grâce auxquelles « le nombre de compagnies s'étant vu accorder des licences américaines pour vendre [des médicaments] à Cuba est tombé à moins de 4 % » de ce qu'il était avant le Cuban Democracy Act d'octobre 1992, tandis qu'« une poignée seulement des compagnies pharmaceutiques du monde a tenté de braver les réglementations américaines », et les pénalités afférentes, comme l'indique dans un dossier spécial la plus grande revue médicale anglaise[25].

Des considérations de ce genre nous mènent du plan abstrait du droit international et des accords solennels aux réalités de la vie humaine. Les avocats peuvent bien débattre pour savoir si l'interdiction des envois de ravitaillement et de médicaments viole ou non les accords internationaux édictant que « la nourriture ne doit pas être utilisée comme instrument de pression politique et économique » (déclaration de Rome, 1996) ou d'autres grands principes clairement énoncés ; ceux qui en sont victimes doivent vivre avec le fait que la loi d'octobre 1992 a « eu pour résultat une sérieuse réduction du commerce légal des fournitures médicales et des donations alimentaires, au détriment du peuple cubain » (Cameron). Une étude récemment publiée de l'American Association for World Health (AAWH) conclut que l'embargo a provoqué de graves déficits alimentaires, une détérioration des ressources d'eau potable et une forte diminution des remèdes et de l'information médicale, ce qui a entraîné un faible taux de naissances, des épidémies, notamment neurologiques, frappant des dizaines de milliers de personnes, et d'autres conséquences graves. « Les normes de santé et d'alimentation ont beaucoup souffert du récent resserrement de l'embargo américain, vieux de 37 ans, qui inclut notamment les importations alimentaires », écrit Victoria Brittain dans la presse anglaise, citant l'étude de l'AAWH, menée par des spécialistes américains qui ont découvert « des enfants hospitalisés qui souffraient, les médicaments essentiels leur étant refusés », et des médecins contraints « de travailler avec un équipement médical d'une efficacité réduite de plus de moitié, car ils n'ont pas de pièces de rechange ». D'autres études parues dans les revues professionnelles parviennent aux mêmes conclusions[26]. Voilà les crimes réels, bien plus réels que la violation épisodique ou réfléchie des instruments légaux utilisés comme armes contre des ennemis officiels ; ils témoignent du cynisme dont seuls ceux qui sont vraiment puissants peuvent faire preuve.

Pour être juste, il conviendrait d'ajouter que les souffrances provoquées par l'embargo sont parfois évoquées dans les médias américains. Un article de la rubrique économique du *New York Times* a ainsi pour titre : « L'explosion du prix des cigares cubains : l'embargo fait désormais vraiment mal à mesure qu'ils se font plus rares. » Suit une description des tribulations d'un groupe d'hommes d'affaires dans « un fumoir cossu » de Manhattan où ils se lamentent qu'il soit « devenu vraiment difficile ces temps-ci de se procurer des cigares cubains aux États-Unis », sauf « à des prix qui prennent à la gorge les fumeurs les plus invétérés[27] ».

L'administration Clinton, exploitant les privilèges réservés aux puissants, attribue les lugubres conséquences d'une guerre économique sans équivalent dans l'histoire actuelle à la politique du régime, dont il promet de « libérer » le peuple cubain, qui souffre tellement. Mais la conclusion inverse est plus plausible : « l'étranglement économique de Cuba par les Américains » a été conçu, maintenu et, dans l'ère de l'après-guerre froide, intensifié pour des raisons qui sont implicites dans le rapport d'Arthur Schlesinger au président Kennedy. Comme le redoutait la mission de ce dernier en Amérique latine, les succès de programmes visant à améliorer les normes de santé et le niveau de vie ont permis de diffuser « l'idée castriste qu'il faut prendre soi-même les choses en main », poussant « les pauvres et les dépossédés », dans une région qui connaît les pires inégalités de la planète, à « exiger les conditions d'une vie décente », ce qui ne va pas, de surcroît, sans autres effets dangereux. C'est là une appréciation à laquelle des preuves documentées, accompagnées d'actions cohérentes reposant sur des motivations parfaitement rationnelles, donnent une importante crédibilité. Si l'on veut juger de l'affirmation selon laquelle les politiques menées l'ont été par souci des droits de l'homme et de la démocratie, un examen, même très bref, des archives est plus que suffisant, du moins pour ceux qui se veulent sérieux.

Il est donc mal à propos de réfléchir à de telles questions, ou même de les rappeler, alors que nous fêtons le triomphe des « valeurs américaines ». Nous ne sommes pas censés nous souvenir non plus que Clinton, inspiré par cette même passion de la liberté du commerce, a « fait pression sur le Mexique pour qu'il signe un accord mettant fin à l'expédition de tomates bon marché vers les États-Unis ». Ce véritable cadeau fait aux producteurs de Floride coûte près de 800 millions de dollars par an au Mexique et viole aussi bien les accords de l'ALENA que ceux de l'OMC (mais seulement « dans l'esprit » : il s'agit en effet d'une pure démonstration de force, qui n'exige pas la mise en place de tarifs douaniers). L'administration Clinton explique sans détour que les tomates mexicaines sont moins chères et, par conséquent, préférées par les consommateurs américains. Bref, en ce cas précis, la liberté des marchés fonctionne parfaitement, mais dans le mauvais sens. Ou peut-être ces tomates constituent-elles une menace contre la sécurité nationale[28].

Certes, ce problème est sans commune mesure avec celui des télécommunications. Toutes les faveurs accordées par Clinton aux producteurs de Floride paraissent bien timides face aux exigences de l'industrie des télécommunications, même sans tenir compte de ce que Thomas Ferguson appelle « le secret le mieux gardé des élections de 1996 » – le fait que « ce fut le secteur des télécommunications qui, plus que tout autre, sauva Bill Clinton », lequel reçut d'importantes contributions financières « de cette branche aux profits sidérants ». La loi sur les télécommunications de 1996 et les accords de l'OMC sont, en un sens, des témoignages de gratitude. Il est peu probable toutefois que les choses se seraient terminées de manière très différente si le monde des affaires avait choisi de distribuer autrement ses largesses, souffrant à l'époque de ce que *Business Week* appelait des profits « spectaculaires » suite à une nouvelle « surprise-partie pour l'Amérique des grandes sociétés[29] ».

Les vérités brièvement évoquées ici sont les plus importantes de celles qu'il convient d'oublier : « le farouche individualisme reaganien » et « l'évangile des marchés libres », prêché aux pauvres et aux vulnérables pendant que le protectionnisme atteignait des sommets inouïs et que l'administration prodiguait les fonds publics à l'industrie des hautes technologies avec un abandon jusque-là inconnu. Nous touchons ici au cœur du problème. Les raisons du scepticisme envers la « passion des marchés libres » que nous venons d'examiner sont certes valides, mais elles ne sont qu'une petite note de bas de page par rapport à l'histoire réelle, qui est la manière dont les grandes sociétés américaines en sont venues à être si bien placées pour prendre le contrôle des marchés internationaux – l'histoire qui nous vaut l'actuelle célébration des « valeurs américaines ».

Mais, là encore, l'histoire est beaucoup plus vaste, elle nous apprend beaucoup de choses sur le monde contemporain et ses réalités économiques et sociales, tout comme sur l'emprise d'une idéologie et d'une doctrine conçues pour susciter sentiment d'impuissance, résignation et désespoir.

[Cet article est paru dans le numéro de mars 1997 de la revue Z.]

NOTES

1. David Sanger, *New York Times*, 17 février 1997 ; Youssef Ibrahim, *New York Times*, 13 décembre 1996 ; Harvey Cox, *World Policy Review*, printemps 1997 ; Martin Nolan, *Boston Globe*, 5 mars 1997 ; John Buell, *Progressive*, mars 1997.

2. Shafiqul Islam, *Foreign Affairs, America and the World*, 1989-1990.

3. Patrick Low, *Trading Free* (Twentieth Century Fund, 1993).

4. *Observer* (Londres), 12 et 19 janvier 1997 ; voir aussi Noam Chomsky, *Powers and Prospects* (South End, 1996 ; trad. fr. *Le Pouvoir mis à nu*, Montréal, Écosociété, 2001), p. 18 ; *Independent*, 24 et 25 novembre 1996 ; *Guardian Weekly*, 5 janvier 1997 ; *Financial Times*, 17 janvier 1997.

5. Gary Silverman et Shada Islam, *Far Eastern Economic Review*, 27 février 1997.

6. Reuters, 1er février 1996, cité dans Andrew Grove, *Only the Paranoid Survive* (Doubleday, 1996), p. 172-173 et 201. Sur les perspectives, voir Robert McChesney, *Coporate Media and the Threat to Democracy* (Open Media Pamphlet Series/ Seven Stories Press, 1997) ; Edward Herman et Robert McChesney, *The Global Media* (Cassell, 1997).

7. *Jornal do Brasil*, 10 et 19 mars 1997 ; *Revista Atencao*, mars 1997 ; repris dans *Sem Terra*, février 1997 ; Carlos Tautz, *Latinamerica Press*, 13 mars 1997.

8. Deborah Hargreaves, *Financial Times* (Londres), 2 février 1996.

9. Éditorial, *New York Times*, 17 février 1997 ; Peter Morici, *Current History*, février 1997.

10. Éditorial, *New York Times*, 17 février 1997 ; *New York Times*, 13 novembre 1996 ; Wayne Smith, *In These Times*, 9 décembre 1996 ; Anthony Kirkpatrick, *Lancet*, 358, n° 9040, 30 novembre 1996, repris dans *Cuba Update*, hiver 1997 ; David Sanger, *New York Times*, 21 février 1997.

11. Ian Williams, *Middle East International*, 21 mars 1997. Sur la présentation standard, tout à fait fantaisiste, de l'histoire de l'ONU, voir Noam Chomsky, *Deterring Democracy* (Verso, 1991), chapitre 6 ; *Letters from Lexington* (Common Courage, 1993), chapitres 8 et 9.

12. Abraham Sofaer, *The United States and the World Court* ; Département d'État, Bureau des affaires publiques, *Current Policy Series*, n° 769, décembre 1985.

13. Jules Kagian, *Middle East International*, 21 octobre 1994.

14. Frances Williams et Nancy Dunne, *Financial Times*, 21 novembre 1996.

15. *Wall Street Journal*, 25 mars 1997.

16. Ruth Leacock, *Requiem for Revolution* (Kent State, 1990), p. 33.

17. David Sanger, *New York Times*, 21 février 1997.

18. Arthur Schlesinger, lettre, *New York Times*, 26 février 1997.

19. *Foreign Relations of the United States*, 1961-1963, vol. XII, *American Republics*, p. 13 et suivantes, 33, 9 (Government Printing Office, Washington DC, 1997).

20. Tim Weiner et Miyera Navarro, *New York Times*, 26 février 1997, signalant également que selon les services de renseignement américains au moins l'un des avions (et peut-être les trois) avait violé l'espace aérien cubain et reçu des mises en garde des contrôleurs aériens de La Havane. Sur les récentes attaques terroristes, voir *Cuba Update*, mars-avril

1996. Angus Shaw, Associated Press, 27 février ; Donna Bryson, Associated Press, 20 février ; Lionel Martin, Reuters, 26 mars 1996 (service du *San Jose Mercury News*). *Boston Globe*, 24 mars 1996.

21. Michael Stuehrenberg, *Die Zeit* ; *World Press Review*, décembre 1988.

22. Barrie Dunsmore, « Live from the battlefield », avant-projet, 8 janvier 1996.

23. Piero Gleijeses, « Ships in the night : The CIA, the White House and the Bay of Pigs », *Journal of Latin American Studies*, vol. 27, n°1, février 1995, p. 1-42 ; Jules Benjamin, *The United States and the Origins of the Cuban Revolution* (Princeton University Press, 1990).

24. *Miami Herald*, édition espagnole, 18 décembre 1994 ; Maria Lopez Vigil, *Envío* (Université jésuite d'Amérique centrale, Managua), juin 1995.

25. Kirkpatrick, *op. cit.* Joanna Cameron, « The Cuban Democracy Act of 1992 : The international complications », *Fletcher Forum* (hiver/printemps 1996). Voir Noam Chomsky, *Year 501* (South End, 1993 ; trad. fr. *L'An 501 : la lutte continue*, Montréal, Écosociété, 1996), chapitre 6, pour le contexte et les sources.

26. Cameron, « Cuban Democracy Act », *in* American Association for World Health, *Denial of Food and Medicine : The Impact of the US Embargo on Health and Nutrition in Cuba*, mars 1997 ; Victoria Brittain, *Guardian Weekly*, 16 mars 1997.

27. *New York Times*, 17 avril 1996.

28. David Sanger, *New York Times*, 12 octobre 1996. Un an plus tard, l'administration Clinton imposa des droits de douane très élevés aux superordinateurs japonais (voir chapitre VII).

29. Thomas Ferguson, *Mother Jones*, novembre-décembre 1996 ; *Business Week,* 12 août 1996.

IV

La démocratie de marché
dans un ordre néo-libéral.
Doctrines et réalités

[Ce chapitre est extrait de la Davie Memorial Lecture* prononcée à l'université du Cap, Afrique du Sud, en mai 1997.]

On m'a demandé de parler de certains aspects de la liberté universitaire ou humaine ; c'est une invitation qui offre de nombreux choix. Je m'en tiendrai aux plus simples.

La liberté sans occasions de l'exercer est un don du diable, et se refuser à les accorder est parfaitement criminel. Le destin des plus vulnérables souligne la distance qui nous sépare de ce que l'on pourrait appeler la « civilisation ». Pendant que je vous parle, 1 000 enfants meurent de maladies facilement guérissables et près de 2 000 femmes succombent ou subissent de graves infirmités à la suite d'une grossesse ou d'un accouchement, tout cela faute de remèdes élémentaires

---

* Cette conférence se tient tous les ans en mémoire de Thomas Benjamin Davie, vice-chancelier de l'université du Cap, qui s'opposa, jusqu'à sa mort en 1955, à la politique d'apartheid (*NdT*).

et de soins médicaux[1]. L'UNICEF estime qu'il faudrait, pour mettre un terme à de telles tragédies et veiller à ce que chacun puisse accéder à des services sociaux de base, consacrer à ce dessein un quart des dépenses militaires annuelles des « pays en voie de développement », ou près de 10 % de celles des États-Unis. C'est sur la base de telles réalités que devrait s'engager toute discussion sérieuse sur la liberté humaine.

On pense souvent que le remède à des maladies sociales aussi profondes est à portée de main. Ces espoirs ne sont pas sans fondement. Ces dernières années, on a assisté à la chute de tyrannies brutales, à de grands progrès scientifiques très prometteurs, et on a bien des raisons de croire en un avenir meilleur. Le discours des privilégiés, quant à lui, est marqué par la confiance et le triomphalisme : ils connaissent la voie qui s'ouvre à eux, et savent qu'il n'en existe pas d'autre. Le thème central, repris avec beaucoup de force et de clarté, est que « la victoire américaine à l'issue de la guerre froide a été celle d'un ensemble de principes économiques et politiques : démocratie et liberté des marchés ». Ces derniers construisent un avenir « dont l'Amérique sera à la fois la gardienne et le modèle ». Je cite le principal commentateur politique du *New York Times*, mais il s'agit là d'une image conventionnelle, largement diffusée dans la majeure partie du monde et dont ceux-là mêmes qui la critiquent reconnaissent qu'elle est, dans l'ensemble, exacte. Elle a par ailleurs pris la forme de la « doctrine Clinton », selon laquelle la nouvelle mission des États-Unis serait de « consolider la victoire de la démocratie et de la liberté des marchés » qui vient tout juste d'être remportée.

Il subsiste certains désaccords : les « idéalistes wilsonniens » nous pressent d'embrasser une traditionnelle mission de bienfaisance ; les « réalistes » font valoir que nous n'avons peut-être pas les moyens nécessaires à la conduite de ces croisades en faveur d'une « amélioration des choses au niveau mondial », et que nous ne devrions pas négliger nos propres intérêts en aidant les autres. Entre ces deux extrêmes se situe le chemin d'un monde meilleur[2].

La réalité me semble assez différente. L'éventail actuel des débats politiques a aussi peu de rapports que les précédents avec la politique réelle : les États-Unis, pas plus que les autres puissances, n'ont jamais été animés par la volonté d'« améliorer les choses au niveau mondial ». Dans le monde entier, y compris les grands pays industriels, la démocratie est attaquée – du moins la démocratie au vrai sens du terme, c'est-à-dire la possibilité pour les gens de gérer leurs propres affaires, aussi bien collectives qu'individuelles. Dans une certaine mesure, on peut en dire autant des marchés. Les assauts menés contre eux et contre la démocratie sont en outre liés d'une autre façon : ils trouvent leur origine dans le pouvoir de grandes sociétés qui sont de plus en plus connectées les unes aux autres, s'appuient sur des États puissants et n'ont pratiquement aucun compte à rendre au grand public. Leur pouvoir déjà immense ne fait que croître du fait d'une politique sociale qui mondialise le modèle structurel du Tiers Monde : des secteurs jouissant de richesses et de privilèges énormes face à l'augmentation de « la proportion de ceux qui subissent toutes les rigueurs de l'existence et rêvent en secret d'une répartition plus égale de ses bienfaits », comme le prédisait, voilà 200 ans, James Madison, principal architecte de la démocratie américaine[3]. Ces choix politiques sont parfaitement évidents dans la société anglo-américaine, mais on les retrouve dans le monde entier. Ils ne peuvent être attribués à ce que « le marché a décidé, dans son infinie mais mystérieuse sagesse[4] » – « progression implacable de la "révolution des marchés" », « farouche individualisme reaganien » ou « nouvelle orthodoxie » donnant « tout pouvoir au marché ». Bien au contraire, l'intervention de l'État joue un rôle décisif, comme par le passé, et les traits fondamentaux de la politique suivie n'ont rien de bien nouveau. Les versions actuelles de la légende reflètent « la claire sujétion du travail au capital » qui date de plus de quinze ans, pour reprendre une formule de la presse économique[5], qui traduit souvent avec beaucoup d'exactitude la perception d'une communauté d'affaires dotée d'une vive conscience de classe, et bien décidée à mener une guerre de classe.

Si cette perception est correcte, alors le chemin d'un monde plus juste et plus libre ne se rapproche en rien de celui défini par les privilèges et le pouvoir. Je ne peux espérer étayer cette conclusion ici, mais simplement suggérer qu'elle est suffisamment crédible pour que l'on prenne la peine d'y réfléchir, en ajoutant que les doctrines dominantes ne pourraient guère survivre si elles ne contribuaient pas à « l'embrigadement de l'opinion publique, tout comme une armée le fait du corps de ses soldats », pour citer une fois de plus Edward Bernays exposant aux milieux d'affaires les leçons à tirer de la propagande du temps de guerre*.

Il est tout à fait frappant que, dans deux des principales démocraties du monde, on ait pris peu à peu conscience de la nécessité de tirer ces leçons pour

---

* Voir *supra*, p. 99 et suivantes.

« organiser la guerre politique », comme le déclarait, voilà 70 ans, le président du parti conservateur britannique. Aux États-Unis, les libéraux wilsonniens, parmi lesquels des intellectuels connus et des figures éminentes de ce qui devenait alors la politologie, parvinrent aux mêmes conclusions à la même époque. Non loin de là, Adolf Hitler jura que la prochaine fois l'Allemagne ne perdrait pas la guerre de la propagande et entreprit, à sa manière, d'appliquer les mêmes leçons à la guerre politique allemande[6].

Pendant ce temps, la communauté d'affaires s'inquiétait du « danger menaçant les industriels », à savoir « un pouvoir politique dont les masses venaient de prendre conscience », et exhortait à mener, et à remporter, « l'éternelle bataille pour conquérir les esprits des hommes », et à « endoctriner les citoyens par la version capitaliste des choses » jusqu'à ce qu'ils soient « capables de la reproduire avec une remarquable fidélité » ; et ainsi de suite, dans un déferlement impressionnant accompagné d'efforts qui l'étaient tout autant[7].

Pour découvrir le sens véritable des « principes économiques et politiques » dont on nous dit qu'ils incarnent l'avenir, il est bien sûr nécessaire d'aller au-delà des fioritures rhétoriques et des discours officiels, d'enquêter sur les pratiques véritables et de fouiller dans les archives. La meilleure démarche consiste à se livrer à un examen minutieux de certains cas particuliers, mais il faut les choisir avec soin pour obtenir une image juste. Il existe en ce domaine des règles évidentes. Une approche raisonnable consiste à reprendre les exemples cités par les défenseurs des doctrines eux-mêmes. Une autre consiste à enquêter là où les influences sont les plus fortes et les ingérences réduites au minimum, de façon à discerner les principes mis en œuvre sous leur forme la plus pure. Si nous voulons savoir ce que le Kremlin entendait par « démocratie » et « droits de l'homme », nous prêterons peu d'attention aux solennelles dénonciations par la *Pravda* du racisme ambiant aux États-Unis ou de la terreur que font régner chez eux leurs États clients, et moins encore à ses nobles déclarations de principe. L'état des lieux dans les « démocraties populaires » d'Europe de l'Est sera beaucoup plus instructif. C'est là une idée élémentaire qui s'applique tout aussi bien au pays autoproclamé « gardien » et « modèle ». L'Amérique latine constitue de ce point de vue un banc d'essai évident, surtout l'Amérique centrale et les Caraïbes. Les États-Unis y ont, depuis presque un siècle, connu peu de défis extérieurs, si bien que les principes directeurs de leur politique, et aujourd'hui ceux du « consensus de Washington » néo-libéral, y apparaissent en pleine lumière quand nous examinons l'état actuel de la région et la manière dont on en est arrivé là.

Il est intéressant de noter que cette tâche est rarement entreprise ou, quand elle l'est, aussitôt dénoncée comme une manœuvre extrémiste ou pis encore. Je laisserai au lecteur le loisir de s'y consacrer « à titre d'exercice », en notant simplement qu'elle nous livre d'utiles leçons sur les principes économiques et politiques censés représenter « la voie de l'avenir ».

La « croisade pour la démocratie » de Washington, comme on l'appelle, fut menée avec une ferveur toute particulière pendant les années Reagan, l'Amérique latine étant alors un terrain de prédilection. Les résultats en sont communément présentés comme une parfaite illustration de la manière dont les États-Unis devinrent « la source d'inspiration du triomphe de la démocratie de notre temps », pour citer les responsables de l'un des principaux organes intellectuels du libéralisme américain[8]. L'étude érudite la plus récente qualifie « le renouveau de la démocratie en Amérique latine » d'« impressionnant », mais non dépourvu de problèmes, les « barrières à sa mise en œuvre » demeurant « formidables » ; mais peut-être pourraient-elles être abattues par une intégration plus étroite avec les États-Unis. Sanford Lakoff, l'auteur de cette étude, voit dans « l'ALENA, accord véritablement historique », un instrument potentiel de démocratisation. Dans une région traditionnellement soumise à l'influence américaine, écrit-il, les pays s'acheminent vers la démocratie après avoir « survécu à des interventions militaires » et à « de féroces guerres civiles »[9].

Commençons par examiner d'un peu plus près les exemples récents, les plus évidents étant donné l'écrasante influence américaine, et qui sont régulièrement présentés comme autant d'illustrations des promesses et des succès de la « mission américaine ».

Lakoff laisse entendre que les principales « barrières à la mise en œuvre » de la démocratie sont les tentatives de protection des « marchés domestiques » – c'est-à-dire visant à empêcher les grandes sociétés étrangères (principalement américaines) de renforcer leur mainmise sur la société. Il nous faut donc comprendre que la démocratie est renforcée quand les prises de décision importantes passent de façon croissante aux mains de tyrannies privées qui n'ont pas de comptes à rendre. Pendant ce temps, l'arène politique se réduit comme peau de chagrin et l'on rogne les pouvoirs de l'État au nom des principes économiques et politiques d'un néolibéralisme désormais triomphant. Une étude de la Banque mondiale fait remarquer que la nouvelle orthodoxie incarne « un passage spectaculaire d'un idéal politique pluraliste et participatif à un autre, autoritaire et technocratique », en accord avec certains éléments dominants de la pensée libérale et progressiste du XXᵉ siècle, mais aussi d'une autre variante, le modèle léniniste – les deux étant plus semblables qu'on ne le pense souvent[10].

Considérer le contexte de cette situation nous vaut quelques aperçus utiles sur les concepts de « démocratie » et de « marchés » tels qu'ils fonctionnent réellement.

Lakoff ne s'intéresse guère au « renouveau de la démocratie » en Amérique latine, mais il cite une source érudite comportant une étude de la croisade menée par Washington dans la région au cours des années 1980. L'auteur en est Thomas Carothers, un spécialiste du continent qui, de surcroît, peut jeter sur la question un « regard d'initié », ayant travaillé au Département d'État, du temps de Reagan, sur des programmes de « renforcement de la démocratie[11] ». Il estime que Washington témoignait d'une « volonté de promouvoir la démocratie » qu'il juge « sincère », mais qui a échoué. Qui plus est, l'échec s'est répété : les régions d'Amérique latine dans lesquelles l'influence de l'administration demeurait la plus faible connurent de véritables progrès, auxquels, en règle générale, Washington s'opposa – non sans s'en attribuer le mérite quand il devint impossible de les entraver. Les avancées démocratiques furent les moins marquées là où l'influence américaine était la plus forte, et, quand elles eurent lieu, le rôle des États-Unis fut marginal, voire négatif. La conclusion de Carothers est que les Américains cherchaient à maintenir « l'ordre fondamental [...] de sociétés parfaitement antidémocratiques » et à éviter « des changements d'orientation populiste », et qu'ils furent donc inévitablement conduits à chercher « des formes limitées de changement démocratique, imposées d'en haut, qui ne risqueraient pas de bouleverser les structures de pouvoir traditionnelles, dont celles des États-Unis avaient longtemps été les alliées ».

Cette dernière remarque exige quelques commentaires. « États-Unis » est un terme couramment utilisé pour désigner les structures de pouvoir de cc pays ; « l'intérêt national » est celui de ces groupes et n'a qu'un lointain rapport avec celui de la population. En conclure que Washington cherchait à mettre en œuvre des formes de démocratie imposées d'en haut pour ne pas bouleverser les « structures de pouvoir traditionnelles » n'a rien de surprenant, ni de bien nouveau.

Aux États-Unis mêmes, « la démocratie imposée d'en haut » est fermement inscrite dans le système constitutionnel[12]. On peut faire valoir, comme certains historiens, que ces principes ont perdu de leur force à mesure que le territoire national était conquis et peuplé. Quel que soit le jugement que l'on porte sur cette période, à la fin du XIXᵉ siècle, les doctrines fondatrices prirent une forme nouvelle beaucoup plus oppressive. Quand James Madison parlait des « droits des personnes », il entendait « des *individus* ». Mais la croissance d'une économie industrielle, l'apparition des grandes sociétés donnèrent à ce terme un sens entièrement neuf. Dans un document officiel récent, « le terme "personne" est défini, au sens large, de manière à désigner tout individu, branche, partenariat, groupe associé, association, succession, cartel, grande société ou toute autre organisation (créés ou non conformément aux lois d'un État quelconque), ou toute entité gouvernementale[13] », concept qui aurait choqué Madison et ceux qui, comme lui, s'inspiraient des Lumières et du libéralisme classique.

Ces changements radicaux dans la conception des droits de l'homme et de la démocratie furent introduits non par la loi, mais par des décisions judiciaires et des commentaires savants. Les grandes sociétés, jusqu'alors considérées comme des entités artificielles dépourvues de droits, se virent accorder ceux des personnes, et bien plus encore, puisqu'elles constituent des « personnes immortelles » à la richesse et au pouvoir extraordinaires. En outre, elles n'étaient plus liées aux objectifs spécifiques définis par les statuts de l'État et pouvaient agir à leur guise, avec peu de restrictions[14].

Les spécialistes du droit les plus conservateurs s'opposèrent vivement à de telles innovations, voyant bien qu'elles sapaient l'idée traditionnelle selon laquelle les droits sont propres aux individus, mais aussi les principes de fonctionnement des marchés. Pourtant, ces formes nouvelles de domination autoritaire furent institutionnalisées, en même temps qu'était légitimé le travail salarié, lequel, dans l'Amérique du XIXᵉ siècle, était considéré comme à peine supérieur à l'esclavage – opinion partagée aussi bien par le mouvement syndical alors émergent que par Abraham Lincoln, le parti républicain ou les médias de l'*establishment*[15].

Ces sujets ont une énorme importance quand on cherche à comprendre la nature de la démocratie de marché. Là encore, je ne peux que les signaler en passant. Les matériaux dont on dispose et l'issue des débats idéologiques expliquent l'idée américaine selon laquelle la « démocratie » à l'étranger doit refléter le modèle recherché aux États-Unis : des formes de contrôle imposées d'en haut, le peuple étant cantonné dans un rôle de spectateur et ne prenant pas part aux prises de décision, qui doivent exclure « ces amateurs ignorants et importuns », comme le dit la théorie politique moderne sous sa forme la plus répandue. Mais l'idée de base est tout à fait standard et ses racines sont fermement ancrées dans la tradition – radicalement modifiée, toutefois, dans l'ère nouvelle des « entités juridiques collectives ».

Pour en revenir à la « victoire de la démocratie » sous la direction des États-Unis, ni Lakoff ni Carothers ne se demandent comment Washington a pu maintenir « les structures de pouvoir traditionnelles dans des sociétés fortement antidémocratiques ». Leur objet d'étude n'est pas les guerres terroristes qui ont laissé derrière elles des dizaines de milliers de cadavres torturés et mutilés, des millions de réfugiés et des dévastations peut-être irrémédiables – et qui ont été pour une large part des guerres contre l'Église catholique, devenue un ennemi dès lors qu'elle avait choisi « de prendre le parti des pauvres », s'efforçant de garantir à ceux qui souffraient un minimum de justice et de droits démocratiques. Il est plus que symbolique que les terribles années 1980 aient commencé par le meurtre d'un évêque* devenu « la voix des sans-voix » pour se clore par l'assassinat de six intellectuels jésuites éminents ayant décidé de suivre le même chemin que lui – crimes chaque fois perpétrés par des forces terroristes armées et entraînées par les vainqueurs de la « croisade pour la démocratie ». Il faut bien noter que les principaux intellectuels dissidents d'Amérique centrale ont été tués deux fois : assassinés et réduits au silence. Leurs déclarations, et leur existence même, sont à peine connues aux États-Unis,

---

* Mgr Romero, prélat salvadorien assassiné en mars 1980 par les militaires (*NdT*).

contrairement à celles des dissidents venus de pays ennemis, qui ont droit aux honneurs et à l'admiration générale.

Ce genre de questions ne fait pas partie de l'histoire racontée par les vainqueurs. Dans l'étude de Lakoff, qui de ce point de vue est assez typique, il n'en reste plus que des allusions aux « interventions militaires » et aux « guerres civiles », sans qu'il soit fait mention d'aucun facteur extérieur. Mais elles ne seront pas passées sous silence par ceux qui cherchent à mieux comprendre les principes qui doivent façonner l'avenir, si jamais les structures de pouvoir l'emportent.

La référence de Lakoff au Nicaragua est particulièrement révélatrice, et tout à fait classique : « La guerre civile prit fin après des élections démocratiques, et des efforts importants sont actuellement entrepris pour créer une société plus prospère et plus autonome. » Dans le monde réel, la superpuissance ayant agressé le pays se livra à une escalade des attaques *après* les premières élections démocratiques, en 1984. Celles-ci furent surveillées de près, et déclarées légitimes, par la LASA (Latin American Scholars Association), par des délégations parlementaires britannique et irlandaise et même par une délégation du gouvernement néerlandais, qui pourtant soutenait fermement les atrocités reaganiennes. Le costaricien José Figueres, principale figure de la démocratie en Amérique centrale et observateur très critique, considéra que ces élections étaient légitimes dans ce « pays envahi », demandant à Washington de permettre aux sandinistes « de finir en paix ce qu'ils ont commencé ; ils le méritent ». Les États-Unis, quant à eux, s'opposèrent vivement à la tenue de ces élections et cherchèrent à les saboter, craignant qu'elles ne compromettent leur guerre terroriste. Ces inquiétudes furent

toutefois passées sous silence grâce au bon fonctionnement du système doctrinal, lequel, avec une remarquable efficacité, mit tous les comptes rendus sous le
boisseau et reprit mécaniquement la propagande d'État
selon laquelle le scrutin était truqué[16].

Autre fait que l'on omit de mentionner : lorsque les
élections suivantes approchèrent, à la date prévue[17],
Washington fit clairement comprendre que, à moins
qu'elles ne donnent les bons résultats, les Nicaraguayens
continueraient à subir la guerre économique et l'« usage
illégal de la force » que la Cour internationale de
La Haye avait condamnés en ordonnant d'y mettre en
terme – en vain, bien entendu. Mais, cette fois, les résultats furent acceptables, et salués aux États-Unis avec un
enthousiasme hautement révélateur[18].

Aux bornes extrêmes de la critique indépendante,
Anthony Lewis, du *New York Times*, se déclara
submergé d'admiration pour « l'expérience de paix et de
démocratie » menée par Washington, qui démontrait que
« nous vivons dans un âge romantique ». Les méthodes
n'avaient rien de secret. Le magazine *Time*, se joignant
aux célébrations alors que la démocratie « surgissait »
au Nicaragua, les définit avec une parfaite franchise :
« détruire l'économie, mener par procuration une guerre
longue et mortelle, jusqu'à ce que les Nicaraguayens,
épuisés, renversent eux-mêmes un gouvernement non
désiré », le coût de l'opération étant « minimal » pour
les États-Unis. Certes, les victimes se retrouvaient avec
« des ponts détruits, des centrales électriques sabotées,
des exploitations agricoles en ruine », mais cela fournissait au candidat soutenu par Washington un « argument
électoral décisif », permettant de mettre un terme à
« l'appauvrissement du peuple du Nicaragua » – sans
compter que la terreur se poursuivait, mais mieux valait

ne pas en parler. Pour les Nicaraguayens, bien sûr, le coût n'avait rien de « minimal ». Carothers relève que « le nombre de victimes était beaucoup plus important que l'ensemble des pertes américaines de la guerre de Sécession et de toutes les guerres du XXᵉ siècle *réunies*[19] ». Il en résultait « la victoire du fair-play américain », comme l'expliquait une manchette exultante du *New York Times*, une victoire qui nous laissait « unis dans la joie » – un peu comme en Albanie ou en Corée du Nord.

Les méthodes de cet « âge romantique » et les réactions qu'elles inspirent aux milieux éclairés nous en disent plus sur cette victoire des principes démocratiques. Elles jettent également quelque lumière sur la difficulté à « créer une société plus prospère et autonome » au Nicaragua. Il est vrai que des efforts en ce sens sont désormais en cours et qu'ils connaissent un certain succès, du moins pour une minorité de privilégiés, tandis que la majorité de la population doit affronter un véritable désastre économique et social – schéma tout à fait familier dans les dépendances de l'Occident[20]. Notons que c'est l'exemple nicaraguayen qui a conduit les responsables de la *New Republic* à se joindre au chœur des enthousiastes et à se congratuler d'avoir été « la source d'inspiration du triomphe de la démocratie de notre temps ».

Nous en apprendrons davantage sur les principes victorieux si nous nous souvenons que les mêmes représentants libéraux de la vie intellectuelle ont répété que les guerres de Washington devaient être menées sans merci, en soutenant militairement des « fascistes de style latin [...], quel que soit le nombre de gens assassinés », car « il y a des priorités américaines plus importantes que le respect des droits de l'homme au

Salvador ». Michael Kinsley, rédacteur en chef de la *New Republic* et représentant de la gauche dans les débats médiatiques, nous mettait bien en garde : surtout pas de critique irréfléchie de la politique officielle de Washington consistant à s'en prendre à des cibles civiles sans défense. Il admettait certes que ces opérations terroristes provoquaient « de grandes souffrances pour les populations civiles », mais elles pouvaient se révéler « parfaitement légitimes » si « une analyse des avantages et des inconvénients » montrait que « le sang versé » menait à la « démocratie » telle que la définissent les maîtres du monde. L'opinion éclairée souligne ainsi que la terreur n'est pas une fin en soi, mais doit être jugée à l'aune de critères pragmatiques. Kinsley fit plus tard observer que les buts recherchés avaient été atteints. « Appauvrir le peuple nicaraguayen était précisément l'objectif de la guerre menée par les *contras*, tout comme celui de la politique, conduite parallèlement, d'embargo économique et d'interdiction des prêts internationaux au développement », qui ensemble ont permis de « détruire l'économie » et de « provoquer le désastre économique [qui] a sans doute été le meilleur argument électoral de l'opposition ». Kinsley saluait donc « le triomphe de la démocratie » à l'occasion des « élections libres » de 1990[21].

Les États clients jouissent de privilèges analogues. Commentant une nouvelle attaque israélienne contre le Liban, H.D.S. Greenway, du *Boston Globe*, qui quinze ans plus tôt avait couvert la première grande invasion du pays, écrivit : « Si le bombardement de villages libanais, même au prix de vies humaines et de l'exil vers le nord de réfugiés chassés de chez eux, pouvait assurer la sécurité des frontières israéliennes, affaiblir le Hezbollah et favoriser la paix, je dirais : "Allez-y", comme de nombreux Arabes et Israéliens. Mais l'Histoire ne s'est pas montrée très tendre pour les aventures israéliennes au Liban. Elles n'ont pas résolu grand-chose, et ont presque toujours suscité de nouveaux problèmes. » D'un point de vue pragmatique, donc, le meurtre de nombreux civils, l'expulsion de centaines de milliers de réfugiés, la dévastation du sud du Liban sont d'une valeur, au mieux, douteuse[22].

Gardez bien à l'esprit que je m'en tiens au secteur dissident de l'opinion tolérée, que l'on appelle « la gauche » – ce qui nous apprend bien des choses sur les « principes victorieux » et la culture intellectuelle dans laquelle ils s'insèrent.

Tout aussi révélatrice fut la réaction aux allégations répétées de l'administration Reagan selon lesquelles les Nicaraguayens comptaient obtenir de l'URSS des avions à réaction (les États-Unis avaient contraint leurs alliés à refuser de leur en vendre). Les faucons exigèrent le bombardement immédiat du pays. Les colombes déclarèrent que ces accusations demandaient d'abord à être vérifiées mais que, si elles se révélaient exactes, les États-Unis devraient effectivement pilonner le Nicaragua. Les observateurs sains d'esprit comprenaient parfaitement pourquoi ce pays avait besoin d'avions de chasse : pour se protéger des violations de son espace aérien par la CIA, qui ravitaillait les forces militaires menant pour les États-Unis une guerre par procuration et leur fournissait des informations toutes fraîches pour qu'ils puissent suivre les directives qu'on leur avait données, à savoir attaquer des « cibles molles » sans défense. On admet donc tacitement qu'aucun pays n'a le droit de défendre ses civils contre les attaques américaines, doctrine qui règne à peu près sans partage dans l'opinion dominante.

L'autodéfense était le prétexte officiel de la guerre terroriste menée par Washington – justification classique de tout acte monstrueux, l'Holocauste compris. Ronald Reagan, découvrant que « la politique et l'action du Nicaragua représentent une menace exceptionnelle contre la sécurité nationale et la politique étrangère des États-Unis », déclara « un état d'urgence nationale pour y faire face », sans se couvrir de ridicule[23]. Selon cette logique, l'URSS était parfaitement en droit d'attaquer le Danemark, qui constituait une menace bien plus grave pour sa sécurité, et sûrement la Pologne et la Hongrie tandis qu'elles marchaient vers l'indépendance. Que de tels arguments puissent être repris si régulièrement en dit long sur la culture intellectuelle des vainqueurs, et laisse présager ce qui nous attend.

Tournons-nous vers l'ALENA, accord « historique » qui, selon Lakoff, doit permettre de faire progresser au Mexique une démocratie à l'américaine. Il est très instructif d'y regarder de plus près. Le traité a été imposé de force au Congrès, en dépit d'une vive opposition populaire, mais avec le soutien enthousiaste des milieux d'affaires et des médias, lesquels étaient pleins de promesses euphoriques – tout le monde en profiterait. C'est également ce que prédisaient la Commission du commerce international américaine et des économistes connus armés de modèles théoriques dernier cri (qui pourtant avaient été incapables de prévoir les conséquences délétères de l'accord de libre-échange entre le Canada et les États-Unis ; mais, cette fois, ils allaient marcher). Personne ne parla un instant des minutieuses analyses de l'OTA (Office of Technology Assessment, le bureau de recherches du Congrès), qui concluaient que l'ALENA, tel qu'il était conçu, léserait la majorité des populations du continent nord-américain, et proposaient des modifications qui auraient bénéficié à d'autres que les petits milieux de l'investissement et de la finance. La position officielle du mouvement syndical américain, dont les conclusions étaient très semblables, fut pareillement passée sous silence. Dans le même temps, on condamnait son attitude « rétrograde, simplette », et sa « tactique de menaces grossières » motivée par la « crainte du changement et des étrangers » – là encore ce sont des échantillons en provenance de la gauche, dans ce cas précis d'Anthony Lewis. On pouvait sans peine démontrer la fausseté de telles accusations, mais ce furent les seules à atteindre le grand public – exercice fort inspirant de démocratie. D'autres détails sont des plus éclairants ; ils ont été passés en revue dans la littérature contestataire, à l'époque ou depuis, mais jamais présentés à l'opinion publique, et ils ont peu de chances de faire un jour partie de l'histoire officielle[24].

Aujourd'hui, les contes de fées sur les merveilles de l'ALENA ont été discrètement mis au rancart, les faits n'ayant cessé de s'accumuler pour les démentir. On n'entend plus parler des centaines de milliers d'emplois nouveaux et autres bénéfices dont devaient profiter les peuples des trois pays. Ces bonnes nouvelles ont cédé la place à un « point de vue économique profondément bienveillant » – celui des « experts » – selon lequel l'ALENA n'a pas d'effets significatifs. Le *Wall Street Journal* nous apprend ainsi que « les responsables de l'administration Clinton se sentent frustrés à l'idée de ne pouvoir convaincre les électeurs que la menace ne les touche pas » et que les pertes d'emploi sont « bien moindres que celles prévues par Ross Perot », lequel a été autorisé à prendre part aux débats médiatiques (contrairement à l'OTA, au mouvement syndical, aux économistes qui ne suivent pas la Ligne du Parti, et bien sûr aux contestataires), car ses affirmations, parfois extrêmes, étaient faciles à couvrir de ridicule. Citant les tristes commentaires d'un responsable gouvernemental, le même journal ajoute qu'« "il est difficile de combattre les critiques" en disant la vérité – à savoir que le traité "n'a pas accompli grand-chose" ». On a bien entendu oublié ce qu'était la « vérité » quand le grand exercice démocratique tournait à plein régime[25].

Tandis que les experts considèrent désormais que l'ALENA « n'a pas eu d'effets significatifs », condamnant à l'oubli leur précédente analyse, c'est un point de vue économique rien moins que « profondément bienveillant » qui nous apparaît si l'« intérêt national » est élargi pour y intégrer celui de la population. Témoignant en février 1997 devant la Commission bancaire du Sénat, Alan Greenspan, président de la Réserve fédérale, se montra vivement optimiste quant à « une croissance économique soutenue » grâce à « une restriction atypique des augmentations de rémunération, [qui] semble être pour l'essentiel la conséquence d'une plus grande insécurité de l'emploi » – chose éminemment désirable dans une société juste. Le rapport économique présenté en février 1997 par la présidence s'enorgueillissait des réussites du gouvernement, se référant indirectement aux « changements dans les institutions et les pratiques du marché du travail » et soulignant leur rôle dans « l'importante retenue des salaires » qui renforce la santé de l'économie.

L'une des raisons de ces changements bénéfiques est énoncée en toutes lettres dans une étude, commanditée par le secrétariat à la Main-d'œuvre de l'ALENA, consacrée aux « effets des fermetures d'usines sur le principe de liberté d'association et le droit des travailleurs des trois pays à s'organiser ». Elle fut menée conformément aux règles de l'ALENA, suite à une plainte de travailleurs des télécommunications contre les pratiques illégales de la firme Sprint. Le Bureau national des relations du travail américain avait fait traîner le dossier et, au bout de plusieurs années, n'avait prononcé que des peines insignifiantes – procédure classique. La parution de cette étude, due à Kate Bronfenbrenner, économiste de l'université Cornell, fut autorisée au Canada et au Mexique, mais retardée par l'administration Clinton aux États-Unis. Elle révèle l'impact important de l'ALENA sur le dénouement et l'organisation des grèves. Près de la moitié des tentatives d'implantation des syndicats sont compromises par les menaces que brandissent les employeurs de délocaliser la production à l'étranger : c'est ainsi que l'on place des panneaux « Transfert d'emplois au Mexique » devant une usine où les travailleurs tentent de s'organiser. Et ce ne sont pas des paroles en l'air : quand, malgré tout, les syndicats réussissent à se maintenir, les employeurs ferment l'usine, en totalité ou en partie, trois fois plus souvent qu'avant l'ALENA (dans près de 15 % des cas). Les menaces de fermeture sont presque deux fois plus fréquentes dans les industries les plus mobiles (comme la fabrication, comparée à la construction).

De telles pratiques, et bien d'autres rapportées dans l'étude, sont illégales, mais c'est un simple détail technique, tout comme les violations du droit international et des accords commerciaux dès lors que leur respect débouche sur des résultats inacceptables. L'administration Reagan avait clairement fait comprendre aux industriels que leurs activités antisyndicales, contraires à la loi, ne seraient pas entravées par l'État criminel, et ses successeurs ont maintenu la même attitude. Celle-ci a eu des effets importants sur la destruction des syndicats – ou, pour nous exprimer plus civilement, sur « les changements des institutions et des pratiques du marché du travail » contribuant à une « importante retenue des salaires » dans un modèle économique présenté avec orgueil à un monde arriéré, qui n'a toujours pas fait siens les principes victorieux qui doivent nous mener à la liberté et à la justice[26].

Ce qui avait été dit, en dehors de l'opinion dominante, sur les objectifs de l'ALENA est désormais paisiblement reconnu : le véritable but du traité était d'« enchaîner » le Mexique aux « réformes » qui ont fait de lui un « miracle économique » – au sens technique du terme : à savoir limité aux investisseurs américains et aux Mexicains les plus riches, tandis que le reste de la population sombrait dans la misère. L'administration Clinton semblait « avoir oublié que l'objectif sous-tendant l'ALENA n'était pas de promouvoir le commerce, mais de cimenter les réformes économiques au Mexique », déclare d'un ton hautain Marc Levinson dans *Newsweek*, se gardant simplement d'ajouter qu'on avait bruyamment proclamé le contraire afin de s'assurer de la signature du traité, alors que les critiques qui soulignaient ce réel principe de base étaient pratiquement exclus du « libre marché des idées » par ceux qui le dominent.

Il se peut qu'un jour on finisse par admettre les raisons de l'ALENA. On espérait qu'« enchaîner » le Mexique à ces réformes permettrait de repousser un danger détecté dès septembre 1990 à Washington lors d'une réunion du Latin America Strategy Development Workshop. Celui-ci concluait que maintenir des relations avec la brutale dictature mexicaine ne posait pas de difficultés, bien qu'il y eût un problème potentiel :

« Une avancée démocratique au Mexique pourrait mettre à l'épreuve ces relations privilégiées en amenant au pouvoir un gouvernement plus soucieux de défier les États-Unis pour des raisons économiques et nationalistes. » Mais ce n'est plus un danger sérieux depuis que le traité a permis d'« enchaîner » le pays aux réformes. Les États-Unis ont le pouvoir de se soustraire à volonté aux obligations de l'ALENA, mais pas le Mexique[27].

En bref, le danger, c'est la démocratie, aux États-Unis et ailleurs, comme cet exemple le démontre une fois de plus. Elle est acceptée et même bienvenue, mais non en elle-même, seulement en fonction de ce sur quoi elle débouche. L'ALENA fut considéré comme un dispositif efficace de lutte contre la menace qu'elle représentait. Aux États-Unis, il entra en vigueur grâce à une véritable subversion du processus démocratique, et au Mexique par la force, malgré des protestations populaires importantes mais vaines[28]. Ses retombées sont désormais présentées comme les instruments permettant d'apporter aux Mexicains plongés dans l'ignorance les bienfaits de la démocratie à l'américaine. Un observateur cynique, et familier des faits, en conviendra aisément.

Là encore, les exemples choisis pour illustrer le triomphe de la démocratie sont évidents, et de surcroît intéressants et révélateurs – bien que d'une manière à laquelle on ne s'attendait pas.

L'énonciation de la doctrine Clinton s'accompagna d'un exemple parfaitement révélateur des principes victorieux : son action en Haïti. Souvent présentée comme la meilleure illustration de cette doctrine, elle mérite d'être étudiée de plus près.

Il est vrai que l'on permit le retour au pays d'un président régulièrement élu, mais seulement après que les organisations populaires eurent subi trois années durant la terreur de forces qui restèrent en relation avec Washington. Selon Human Rights Watch, l'administration Clinton refuse toujours de rendre au gouvernement haïtien 160 000 pages de documents saisis par les troupes américaines, pour « éviter d'embarrassantes révélations » sur la complicité des États-Unis avec les auteurs du coup d'État[29]. Il fut également nécessaire de faire suivre au père Aristide « un cours accéléré sur la démocratie et le capitalisme », comme le dit à Washington le principal partisan de ce prêtre fauteur de troubles, ainsi soumis à un véritable processus civilisateur. (La méthode n'est pas inconnue ailleurs quand s'opère une transition indésirable vers la démocratie formelle.)

Pour qu'il lui soit permis de rentrer dans l'île, Aristide fut contraint d'accepter un programme économique aux termes duquel la politique du gouvernement haïtien devait satisfaire les besoins de « la société civile, en particulier du secteur privé, aussi bien national qu'étranger ». Les investisseurs américains se retrouvaient ainsi placés au cœur de cette société civile, avec les riches Haïtiens qui avaient financé le coup d'État. Il n'en allait pas de même des paysans et des habitants des bidonvilles, lesquels surent créer une société si vivante qu'ils réussirent, contre toute attente, à élire leur propre président, ce qui suscita aussitôt la vive hostilité des États-Unis et des tentatives de renversement du premier gouvernement démocratique de l'île[30].

Il fut mis un terme aux actes inacceptables de ces « amateurs ignorants et importuns » par la violence, à l'aide d'une complicité américaine directe, et pas seulement avec les responsables de la terreur d'État. L'Organisation des États américains avait décrété un embargo pour protester contre le coup d'État. Les administrations

Bush et Clinton le sapèrent en en exemptant les firmes américaines et en autorisant secrètement la Texaco Oil Company à ravitailler les putschistes et leurs riches protecteurs, en violation directe des sanctions officielles – détail crucial révélé la veille du débarquement des troupes américaines chargées de « restaurer la démocratie[31] », mais dont le grand public n'a toujours pas été informé, et qui ne figurera sans doute jamais dans l'histoire officielle.

La démocratie fut donc restaurée, et le nouveau gouvernement contraint d'abandonner la politique de réformes démocratiques qui avait tant scandalisé Washington pour suivre celle du candidat des États-Unis aux élections de 1990, lors desquelles il obtint 14 % des voix.

Les coulisses de ce triomphe nous donnent de précieux aperçus sur les « principes économiques et politiques » qui nous mèneront vers un avenir radieux. Haïti fut autrefois l'une des colonies les plus riches du monde (avec le Bengale), et une source de gros profits pour la France. Depuis son invasion, voilà 80 ans, par les marines du président Wilson, l'île est très largement restée sous tutelle américaine. La situation est aujourd'hui à ce point catastrophique qu'on se demande si, dans un avenir proche, le pays sera encore habitable. En 1981, une stratégie de développement fut élaborée par l'AADI (Agence américaine de développement industriel) et la Banque mondiale. Elle reposait sur les chaînes de montage et les exportations alimentaires – alors que les terres avaient été consacrées à la consommation locale. L'AADI prévoyait « un changement historique vers une interdépendance accrue avec les États-Unis » dans ce qui devait devenir le « Taiwan des Caraïbes ». La Banque mondiale, quant à elle, proposait ses remèdes habituels : « développement des entreprises privées », renoncement aux « objectifs sociaux » – aggravant ainsi la pauvreté et les inégalités tout en sacrifiant la santé et l'éducation, en contradiction avec les pieux sermons qui accompagnent toujours de telles ordonnances. Dans le cas d'Haïti, ces mesures eurent des conséquences bien connues : profits pour les industriels américains et les Haïtiens les plus riches, chute de 56 % des salaires au cours des années 1980 : bref, un « miracle économique ». Jamais Haïti ne devint le nouveau Taiwan – lequel avait suivi une voie radicalement différente, comme devaient le savoir les conseillers envoyés sur place.

Ce sont les efforts du premier gouvernement démocratique haïtien pour remédier à une situation de plus en plus catastrophique qui suscitèrent l'hostilité de Washington, puis le coup d'État militaire et la terreur qui s'ensuivit. Une fois la « démocratie restaurée », l'AADI suspendit son aide pour veiller à ce que les fabriques de ciment et les meuneries soient privatisées, au grand bénéfice des riches de l'île et des investisseurs étrangers (la « société civile », selon les directives édictées après la restauration de la démocratie), tout en réduisant les dépenses de santé et d'éducation. L'agroalimentaire eut droit à d'abondantes subventions, contrairement à l'agriculture et à l'artisanat paysans, qui fournissent leurs revenus à l'écrasante majorité de la population. Des usines de montage étrangères, recourant à une main-d'œuvre essentiellement féminine payée bien en dessous du salaire de subsistance et travaillant dans des conditions épouvantables, bénéficient d'une électricité bon marché grâce aux subventions du généreux protecteur américain. Pour les pauvres, en revanche, pas de subventions dans ce domaine, ni d'ailleurs pour l'eau, l'essence ou la nourriture : elles sont interdites par les règles du FMI, car elles constituent un moyen de « contrôler les prix ».

Avant la mise en place des réformes, la production de riz locale permettait de satisfaire pratiquement tous les besoins domestiques. Grâce à une « libéralisation » à sens unique, elle n'en satisfait plus aujourd'hui que la moitié, avec des effets prévisibles sur l'économie. Haïti doit entreprendre des « réformes », en particulier supprimer les droits de douane, conformément aux austères principes de la science économique – dont l'agro-alimentaire américain, par on ne sait quel miracle logique, est quant à lui exempté. Il continue de recevoir d'énormes subventions publiques, encore accrues par l'administration Reagan, au point d'assurer en 1987 40 % des revenus bruts des producteurs. Les conséquences naturelles en sont parfaitement comprises : un rapport de 1995 de l'AADI observe que « le commerce dominé par les exportations et la politique d'investissement » qu'impose Washington « pressurera dramatiquement le producteur de riz local », qui sera contraint de se montrer un peu plus avisé et de se tourner vers l'exportation, au grand bénéfice des investisseurs américains et conformément aux principes de la théorie des attentes rationnelles[32].

Grâce à ces méthodes, le pays le plus pauvre de l'hémisphère est donc devenu le principal acheteur d'un riz produit aux États-Unis, enrichissant des entreprises américaines subventionnées par l'État. Ceux qui ont la chance d'avoir reçu une bonne éducation occidentale pourront sans doute expliquer à leurs compatriotes que les bénéfices de l'opération finiront par toucher les paysans et les habitants des bidonvilles – un de ces jours. Encore un exemple qui nous en dit long sur le sens et les conséquences de la victoire « de la démocratie et des marchés libres ».

Les Haïtiens semblent avoir compris la leçon, mais les doctrinaires d'Occident auraient préféré voir se dessiner un autre tableau. En avril 1997, la participation aux élections du Parlement tomba à « un 5 % consternant », fit savoir la presse, posant la question : « Haïti a-t-il déçu les espoirs américains[33] ? » Nous avons fait tant de sacrifices pour leur apporter la démocratie, et voilà que ces ingrats s'en montrent indignes ! On voit pourquoi les « réalistes » nous pressent de renoncer aux croisades en faveur d'une « amélioration des choses au niveau mondial ».

De telles attitudes s'observent dans tout l'hémisphère. Les sondages montrent ainsi qu'en Amérique centrale la politique suscite « ennui », « méfiance » et « indifférence » bien davantage qu'« intérêt » et « enthousiasme » au sein d'une « population apathique [...] qui a l'impression d'être une simple spectatrice au sein du système démocratique » et se montre « pessimiste pour l'avenir ». La première étude d'ensemble menée dans toute l'Amérique latine, parrainée par l'Union européenne, parvint en gros aux mêmes conclusions : comme le déclara son coordinateur brésilien, « le message le plus alarmant » était que « le peuple avait l'impression que seule l'élite avait tiré profit du passage à la démocratie[34] ». Les spécialistes latino-américains font remarquer que, la récente vague de démocratisation ayant coïncidé avec la mise en œuvre des réformes économiques néo-libérales, qui ont été douloureuses pour la majorité des habitants, ceux-ci ont été conduits à porter un jugement cynique sur la démocratie formelle. L'introduction de programmes semblables dans le pays le plus riche du monde a eu des effets similaires, comme je l'ai déjà signalé.

Revenons-en à la doctrine dominante selon laquelle « la victoire américaine à l'issue de la guerre froide » a été celle de la démocratie et de la liberté des marchés. Pour ce qui est de la première, elle dit partiellement vrai, bien qu'il nous faille comprendre que « démocratie » désigne en fait un contrôle par le haut visant à « protéger la minorité opulente de la majorité ». Et la liberté des marchés ? Là encore, nous nous rendons compte que la doctrine est très éloignée de la réalité, comme l'illustre l'exemple haïtien.

Considérons de nouveau le cas de l'ALENA, accord destiné à « enchaîner » le Mexique à la rigueur économique en vue de protéger les investisseurs des dangers d'une « ouverture démocratique ». Il n'est en rien un « accord sur la liberté du commerce » ; bien au contraire, il est fortement protectionniste, et conçu pour tenir à l'écart les concurrents d'Europe et d'Extrême-Orient. De surcroît, il partage avec les accords conclus au niveau mondial des principes aussi opposés à la liberté des marchés que les restrictions sur les « droits de propriété intellectuelle », restrictions que les pays riches n'ont jamais acceptées au cours de leur développement mais dont ils comptent désormais faire usage pour protéger leurs grandes sociétés − par exemple pour détruire le secteur pharmaceutique des pays pauvres ou, incidemment, bloquer les innovations technologiques permettant de fabriquer à plus large échelle des produits brevetés, chose permise aux termes de l'ancien système de brevets. Le progrès et les marchés eux-mêmes ne sont pas désirables tant qu'ils ne profitent pas à ceux qui comptent.

La nature du « commerce » lui-même soulève aussi bien des questions. Plus de la moitié du commerce entre les États-Unis et le Mexique, nous dit-on, consiste en transactions entre firmes, contre 15 % avant l'ALENA. Il y a déjà dix ans, les usines, généralement américaines, installées dans le nord du Mexique, employant peu d'ouvriers et n'entretenant pratiquement aucun rapport avec l'économie mexicaine, fabriquaient plus d'un tiers des blocs-moteurs des voitures américaines et 75 % des autres composants essentiels. En 1994, l'effondrement de l'économie du Mexique, après la signature du traité, n'épargna que les très riches et les investisseurs américains (protégés par des renflouements de Washington). Mais elle mena aussi à un accroissement du commerce entre les deux pays, tandis que la crise, plongeant la population dans une misère encore plus grande, « transformait le Mexique en une source bon marché [lisez : encore moins chère] de produits manufacturés, les salaires industriels ne représentant plus qu'un dixième de ceux des États-Unis », nous dit la presse économique. Selon certains spécialistes, la moitié du commerce américain, dans le monde entier, se compose de telles transactions centralisées, et il en va largement de même pour les autres puissances industrielles[35], bien qu'il faille accueillir prudemment toute conclusion relative à des entités qui n'ont guère de comptes à rendre au public. Certains économistes décrivent, de manière assez plausible, le système mondial comme « un mercantilisme de grandes sociétés », très éloigné des idéaux du libre-échange. L'OCDE conclut par exemple que « c'est la compétition oligopolistique et les interactions entre firmes et gouvernements, et non la "main invisible" des forces du marché, qui conditionnent les avantages compétitifs d'aujourd'hui et la division du travail dans les industries de haute technologie[36] », adoptant implicitement un point de vue semblable.

La structure de base de l'économie américaine elle-même viole les principes néo-libéraux tant vantés. Le thème principal de l'ouvrage classique sur l'histoire industrielle des États-Unis[37] est que « les entreprises modernes ont pris la place des mécanismes du marché pour tout ce qui touche à la coordination des activités économiques et la distribution des ressources », gérant en interne de nombreuses transactions. C'est une violation des principes du marché, mais il y en a bien d'autres. Il suffit de voir quel a été le destin du principe d'Adam Smith selon lequel la liberté de mouvement des personnes – à travers les frontières, par exemple – est un élément essentiel de la liberté du commerce. Dans le monde des multinationales, avec leurs alliances stratégiques et le soutien d'États puissants, le gouffre entre doctrine et réalité s'élargit.

C'est à la lumière de ces réalités qu'il faut interpréter les différentes déclarations publiques, comme par exemple celle de Clinton affirmant que c'est le commerce et non l'assistance qu'il faut à l'Afrique, préconisant un ensemble de dispositions qui se trouvent favoriser les investisseurs américains et recourant à une grandiose rhétorique capable de faire oublier le long passé de telles méthodes et le fait que les États-Unis étaient les donateurs les moins généreux. Pour prendre un modèle encore plus évident, considérons la manière dont, en 1981, Chester Crocker résumait les projets de l'administration Reagan : « Nous sommes partisans de l'ouverture des marchés, du libre accès aux ressources essentielles et de la croissance des économies africaines et américaine », ajoutant vouloir intégrer les pays africains « dans le courant dominant de l'économie de marché »[38]. Venant de ceux qui mènent « un assaut soutenu » contre « l'économie de marché », de telles remarques peuvent sembler le comble du cynisme. Mais en fait la version qu'en donne Crocker est assez juste, une fois passée à travers le prisme de la « doctrine réellement existante ». Les investisseurs étrangers et leurs associés locaux se réservent les occasions qu'offrent les marchés ainsi que l'accès aux ressources, tandis que les économies doivent se développer de manière spécifique, à savoir en protégeant « la minorité opulente de la majorité ». En attendant que cette protection soit assurée, cette minorité mérite d'être subventionnée par l'État ; sinon, comment pourrait-elle prospérer, pour le bien de tous ?

Bien entendu, les États-Unis ne sont pas les seuls à prêcher cette conception de la « liberté du commerce », même si leurs idéologues mènent souvent le chœur des cyniques. Un rapport de l'ONU sur le développement concluait en 1992 que le fossé entre pays riches et pays pauvres était depuis 1960 en grande partie l'effet des mesures protectionnistes adoptées par les premiers. Deux ans plus tard, un autre rapport déclarait que « la violation par les pays industriels des principes de la liberté du commerce coûte aux pays en voie de développement près de 50 milliards de dollars par an – soit à peu près le total de l'aide extérieure » –, ce qui est principalement dû au soutien aux exportations par le biais de subventions publiques[39]. Un rapport de l'ONUDI, autre agence des Nations unies, estime que la disparité entre les 20 % les plus riches et les 20 % les plus pauvres de la population mondiale a crû de plus de moitié entre 1960 et 1989, et prédit « des inégalités mondiales croissantes suite au processus de mondialisation ». Ces écarts sont également visibles dans les sociétés les plus riches : en ce domaine, les États-Unis sont en tête, suivis de près par la Grande-Bretagne. La presse d'affaires exulte devant une « spectaculaire » et « stupéfiante » croissance des profits, applaudissant l'extraordinaire concentration de richesses entre les mains d'une petite frange de la population, tandis que pour la majorité les conditions continuent à stagner ou à se dégrader.

Les médias dominés par les grandes sociétés, l'administration Clinton et les majorettes de la « méthode à l'américaine » s'érigent fièrement en modèles pour le reste du monde. Les retombées de la politique sociale menée délibérément ces dernières années sont noyées sous ce chœur d'autocongratulations. Les « indicateurs de base » publiés par l'UNICEF[40] révèlent par exemple que les États-Unis ont dans ce domaine les pires résultats de tous les pays industriels, se plaçant au même rang que Cuba – pays pauvre du Tiers Monde soumis depuis près de quarante ans aux attaques incessantes d'une superpuissance – pour ce qui est de la mortalité des enfants de moins de cinq ans. Les records sont aussi américains en ce qui concerne la faim ou la pauvreté infantile.

Et ceci dans le pays le plus riche du monde, qui dispose d'avantages incomparables et d'institutions démocratiques stables – mais est aussi, très largement, sous la domination des milieux d'affaires. Voilà de nouveaux indicateurs de ce qui nous attend si jamais le « passage spectaculaire d'un idéal politique pluraliste et participatif à un autre, autoritaire et technocratique », se poursuit à l'échelon planétaire.

Il est intéressant de noter que de telles intentions sont souvent énoncées explicitement, mais de manière confidentielle. C'est ainsi qu'au lendemain de la Seconde Guerre mondiale George Kennan – l'un des planificateurs les plus influents, considéré comme un grand humaniste – assignait sa « fonction » à chaque région du monde*. La fonction de l'Afrique serait d'être « exploitée » par l'Europe pour que celle-ci puisse se reconstruire ; les États-Unis, eux, ne s'y intéressaient guère. Un an plus tôt, une étude de haut niveau avait fait valoir que « la coopération au développement des ressources alimentaires bon marché et des matières premières d'Afrique du Nord pourrait contribuer à l'unité de l'Europe et fournir une base économique à son rétablissement » – intéressante définition de ce qu'est la « coopération[41] ». Rien dans les archives n'indique qu'on ait suggéré que l'Afrique pourrait « exploiter » l'Occident pour se « rétablir » à la suite de « l'amélioration des choses au niveau mondial » qu'elle avait subie au cours des siècles précédents.

Dans ce passage en revue, j'ai tenté de suivre un principe méthodologique raisonnable : évaluer les louanges décernées aux « principes économiques et politiques » de la puissance qui domine le monde à l'aune des exemples qu'elle considère elle-même comme étant les plus pertinents. Cette analyse est brève, partielle, et traite de questions obscures et mal comprises. Mon opinion personnelle, pour ce qu'elle vaut, est que l'échantillon est assez équilibré et donne des principes de fonctionnement, et de l'avenir probable s'ils prévalent sans partage, une image qui fait réfléchir.

Toutefois, même si elle est exacte, cette image est assez fortement trompeuse, précisément parce qu'elle est partielle : il n'y est pas question des succès de ceux qui sont réellement dévoués aux beaux principes proclamés et à ceux de justice et de liberté, qui vont bien

---

* Voir *supra*, p. 58.

au-delà. Ce récit serait avant tout celui des luttes populaires cherchant à éroder, et à détruire, des formes d'oppression et de domination qui ne sont parfois que trop apparentes, mais demeurent souvent si profondément incrustées qu'elles en deviennent virtuellement invisibles, même à leurs victimes. C'est un récit aussi riche qu'encourageant, et nous avons toutes les raisons de croire qu'il peut se poursuivre. Pour le lui permettre, il nous faut estimer de façon réaliste les conditions actuelles et leurs origines historiques, mais bien entendu ce n'est qu'un début.

Les sceptiques qui jugent utopiques ou naïves de telles espérances n'ont qu'à jeter un œil sur ce qui s'est passé ces dernières années ici même, en Afrique du Sud, événements qui représentent un véritable hommage à l'esprit humain et à ses perspectives illimitées. Les leçons d'une aussi remarquable réussite devraient inspirer les peuples du monde entier et guider les prochaines étapes d'une lutte qui se poursuit également ici, tandis que le peuple d'Afrique du Sud, au lendemain de sa grande victoire, s'apprête à relever les défis encore plus redoutables qui l'attendent.

NOTES

1. UNICEF, *The State of the World's Children 1997* (Oxford University Press, 1997) ; UNICEF, *The Progress of Nations 1996* (UNICEF House, 1996).

2. Thomas Friedman, *New York Times*, 2 juin 1992 ; Anthony Lake, conseiller à la sécurité nationale, *New York Times,* 26 septembre 1993 ; David Fromkin, historien, *New York Times Book Review,* 4 mai 1997, résumant des travaux récents.

3. Sur le tableau d'ensemble et ses origines historiques, voir, entre autres, l'étude classique de Frederic Clairmont, *The Rise and Fall of Economic Liberalism* (Asia Publishing House, 1960), rééditée et mise à jour (Penang et Goa, Third World Network, 1996), et Michel Chossudovsky, *The Globalization of Poverty* (Penang, Third World Network, 1997). Clairmont fut pendant longtemps l'un des économistes de la CNUCED, et Chossudovsky est professeur d'économie à l'université d'Ottawa.

4. John Cassidy, *New Yorker*, 16 octobre 1995. Voir chapitre III, note 1, pour les citations qui suivent. L'échantillon va des libéraux à la gauche, dans certains cas très critique. L'analyse est semblable sur le reste de l'éventail politique, mais généralement euphorique.

5. John Liscio, *Barron's*, 15 avril 1996.

6. Richard Cockett, « The Party, publicity and the media », *in* Anthony Seldon et Stuart Ball (éd.), *Conservative Century : The Conservative Party since 1900* (Oxford University Press, 1994) ; Harold Lasswell, « Propaganda », in *Encyclopaedia of the Social Sciences*, vol. 12 (Macmillan, 1933). Pour les citations et une discussion, voir « Intellectuals and the State » (1977), repris dans Noam Chomsky, *Towards a New Cold War* (Pantheon, 1982). Certains travaux précurseurs en ce domaine sont enfin disponibles dans le recueil d'articles d'Alex Carey, *Taking the Risk out of Democracy* (University of New South Wales Press, 1995, et University of Illinois Press, 1997).

7. *Ibid.* ; Elizabeth Fones-Wolf, *Selling Free Enterprise : The Business Assault on Labor and Liberalism, 1945-1960* (University of Illinois Press, 1995) ; Stuart Ewen, *PR : A Social History of SPIN* (Basic Books, 1996). Sur le contexte général, voir Noam Chomsky, « Intellectuals and the State », *op. cit.*, et « Force and opinion », repris dans *Deterring Democracy* (Verso, 1991).

8. Éditorial, *New Republic*, 19 mars 1990.

9. Sanford Lakoff, *Democracy : History, Theory, Practice* (Westview, 1996), p. 262 et suivantes.

10. J. Toye, J. Harrigan et P. Mosley, *Aid and Power* (Routledge, 1991), vol. 1, p. 16. Sur la comparaison avec le léninisme, voir mes essais cités dans la note 7 et *For Reasons of State* (Pantheon, 1973), introduction.

11. Carothers, « The Reagan Years », *in* Abraham Lowenthal (éd.), *Exporting Democracy* (Johns Hopkins University Press, 1991). Voir aussi son ouvrage *In the Name of Democracy* (University of California Press, 1991).

12. Voir le chapitre II et, pour une discussion plus approfondie et les sources, Noam Chomsky, *Powers and Prospects* (South End, 1996 ; trad. fr. *Le Pouvoir mis à nu*, Montréal, Écosociété, 2000) ; « "Consent without consent" : reflections on the theory and practice of democracy », *Cleveland State Law Review*, 44.4, 1996.

13. *Survey of Current Business*, US Department of Commerce, vol. 76, n° 12, décembre 1996.

14. Morton Horwitz, *The Transformation of American Law, 1870-1960* (Harvard University Press, 1992), chapitre 3. Voir aussi Charles Sellers, *The Market Revolution* (Oxford University Press, 1991).

15. Michael Sandel, *Democracy's Discontent* (Harvard University Press, 1996), chapitre 6. Son interprétation en termes de républicanisme et de vertu civique est, à mon sens, trop étroite et néglige des racines plus profondes dans les Lumières et la période antérieure. Pour une discussion, voir entre autres Noam Chomsky, *Problems of Knowledge and Freedom* (Pantheon, 1971 ; trad. fr. *Problèmes du savoir et de la liberté,* Hachette, 1983), chapitre 1 ; et plusieurs essais repris dans James Peck (éd.), *The Chomsky Reader* (Pantheon, 1987) et Noam Chomsky, *Powers and Prospects*, chapitre 4.

16. Pour les détails, voir Noam Chomsky, *Turning the Tide* (Boston, South End, 1985), chapitre 6.3, et Noam Chomsky, *The Culture of Terrorism* (South End, 1988), chapitre 11 (et les sources citées), comprenant notamment des citations de

Figueres, qu'il fallut un effort considérable pour écarter des médias. Voir à ce sujet mes *Letters from Lexington* (Common Courage, 1993), chapitre 6, qui incluent la longue rubrique nécrologique rédigée par le spécialiste de l'Amérique centrale du *New York Times*, et l'éditorial enthousiaste qui l'accompagnait, qui une fois de plus permirent de passer sous silence son opinion sur la « croisade pour la démocratie » menée par Washington. Sur la façon dont les médias ont rendu compte des élections au Nicaragua et au Salvador, voir Edward Herman et Noam Chomsky, *Manufacturing Consent* (Pantheon, 1988), chapitre 3. Carothers lui-même, pourtant respectueux des faits, écrit que les sandinistes « refusèrent d'accepter les élections » avant 1990 (*in* Lowenthal, *op. cit.*).

17. Autre falsification classique : les élections, prévues depuis longtemps, n'ont eu lieu que sous les pressions économiques et militaires de Washington, qui de ce fait sont justifiées rétroactivement.

18. Sur les élections et les réactions en Amérique latine et aux États-Unis, y compris les sources pour ce qui suit, voir Noam Chomsky, *Deterring Democracy*, chapitre 10. Pour un examen détaillé de la subversion diplomatique, très réussie et généralement saluée comme un triomphe de la diplomatie, voir Noam Chomsky, *Culture of Terrorism*, chapitre 7, et Noam Chomsky, *Necessary Illusions* (South End, 1989), appendice IV.5.

19. C'est l'auteur qui souligne, *in* Lowenthal, *op. cit.*

20. Pour des détails, voir entre autres Richard Garfield, « Desocializing health care in a developing country », *Journal of the American Medical Association*, vol. 270, n° 8, 25 août 1993, et Noam Chomsky, *World Orders, Old and New* (Columbia University Press, 1994), p. 131 et suivantes.

21. Michael Kinsley, *Wall Street Journal*, 26 mars 1987 ; *New Republic*, éditoriaux des 2 avril 1984 et 19 mars 1990. Pour des précisions sur ces exemples et sur bien d'autres, voir

Noam Chomsky, *Culture of Terrorism*, chapitre 5, et Noam Chomsky, *Deterring Democracy*, chapitres 10 et 12.

22. H.D.S. Greenway, *Boston Globe*, 29 juillet 1993.

23. *New York Times*, 2 mai 1985.

24. Voir *World Orders*, p. 131 et suivantes. Sur les prédictions, et les résultats, voir l'économiste Melvin Burke, « NAFTA integration : unproductive finance and real unemployment », *Proceedings from the Eighth Annual Labor Segmentation Conference*, avril 1995, sous le parrainage des universités de Notre Dame et de l'Indiana. Également *Social Dimensions of North American Economic Integration*, rapport préparé pour le ministère canadien du Développement des ressources humaines par le Canadian Labour Congress, 1996. Sur les prédictions de la Banque mondiale pour l'Afrique, voir Cheryl Payer, *Lent and Lost* (Zed, 1991) et John Mihevc, *The Market Tells them So* (Zed, 1995), qui passe également en revue les lugubres effets de ses échecs répétés – lugubres pour la population, non pour l'électorat de la Banque. Que ses prédictions aient été constamment démenties, et qu'elle n'ait qu'une médiocre compréhension de la situation, est un fait bien connu des économistes. Voir par exemple Paul Krugman, « Cycles of conventional wisdom on economic development », *International Affairs*, vol. 71, n° 4, octobre 1995. Voir aussi *supra*, p. 29 et suivantes.

25. Helene Cooper, « Experts' view of NAFTA's economic impact : It's a wash », *Wall Street Journal*, 17 juin 1997.

26. Éditorial, « Class war in the USA », *Multinational Monitor*, mars 1997. Bronfenbrenner, « We'll close », *ibid.*, reposant sur l'étude qu'elle a dirigée : « Final report : The effects of plant closing or threat of plant closing on the right of workers to organize ». L'impact énorme de la criminalité reaganienne est détaillé dans un article de *Business Week* : « The workplace : Why America needs unions, but not the kind it has now », 23 mai 1994.

27. Levinson, *Foreign Affairs*, mars-avril 1996. Workshop, 26 et 27 septembre 1990, compte rendu, p. 3.

28. Voir chapitre V. Selon les sondages, aux États-Unis et surtout au Canada (où la discussion fut beaucoup plus ouverte), l'opinion publique demeura largement opposée au projet.

29. Kenneth Roth, directeur exécutif, HRW, lettre, *New York Times*, 12 avril 1997.

30. Voir Paul Farmer, *The Uses of Haiti* (Common Courage, 1994) ; Noam Chomsky, *World Orders*, p. 62 et suivantes ; Noam Chomsky, « Democracy restored », *Z*, novembre 1994 ; North American Congress on Latin America (NACLA), *Haiti : Dangerous Crossroads* (South End, 1995).

31. Noam Chomsky, « Democracy restored », citant John Solomon, Associated Press, 18 septembre 1994.

32. Voir mon ouvrage *Year 501* (South End, 1993 ; trad. fr. *L'An 501 : la lutte continue,* Montréal, Écosociété, 1996), chapitre 8, ainsi que les sources citées ; Farmer, *op. cit., Labor Rights in Haiti*, International Labor Rights Education and Research Fund, avril 1989. *Haiti After the Coup*, National Labor Committee Education Fund (New York), avril 1993. Lisa McGowan, *Democracy Undermined, Economic Justice Denied : Structural Adjustment and the AID Juggernaut in Haiti* (Development Gap, janvier 1997).

33. Nick Madigan, « Democracy in inaction : Did Haiti fail US hope ? », *Christian Science Monitor*, 8 avril 1997 ; voir Associated Press, *Boston Globe*, 8 avril 1997, pour des précisions sur les élections.

34. John McPhaul, *Tico Times* (Costa Rica), 11 avril et 2 mai 1997.

35. Vincent Cable, *Daedalus* (printemps 1995), citant le *World Investment Report* de 1993 de l'ONU (qui donne toutefois des chiffres tout à fait différents, notant par ailleurs que « nous disposons de relativement peu de données »). Pour une discussion plus détaillée, estimant le commerce entre multi-nationales à 40 %, voir Peter Cowhey et Jonathan Aronson, *Managing the World Economy* (New York, Council on Foreign Relations, 1993). Sur les rapports entre les États-Unis et

le Mexique, voir David Barkin et Fred Rosen, « Why the recovery is not a recovery », *NACLA Report on the Americas*, janvier-février 1997 ; Leslie Crawford, « Legacy of shock therapy », *Financial Times*, 12 février 1997 (portant en sous-titre « Mexico : A healthier outlook », l'article signale la misère croissante de la vaste majorité de la population, exception faite des « très riches »). Pour les transactions entre firmes après l'entrée en vigueur de l'ALENA, voir William Greider, *One World, Ready or Not* (Simon & Schuster, 1997), p. 273, citant l'économiste mexicain Carlos Heredia. Avant le traité, les estimations selon lesquelles les exportations américaines entre firmes qui n'entraient jamais au Mexique dépassaient 50 % : sénateur Ernest Hollings, *Foreign Policy*, hiver 1993-1994.

36. Étude de 1992 de l'OCDE citée par Laura Tyson, ex-conseillère économique de Clinton, dans *Who's Bashing Whom ?* (Institute for International Economics, 1992).

37. Alfred Chandler, *The Visible Hand* (Belknap Press, 1977).

38. Discours prononcé à Honolulu par C.A. Crocker, secrétaire d'État adjoint aux Affaires africaines, devant la commission à la Sécurité nationale de l'American Legion, août 1981. Cité par Hans Abrahamsson, *Hegemony, Region and Nation State : The Case of Mozambique* (Padrigu Peace and Development Research Institute, Gothenburg University, janvier 1996).

39. Pour une discussion, voir Eric Toussaint et Peter Drucker (éd.), *IMF/World Bank/WTO, Notebooks for Study and Research* (Amsterdam, International Institute for Research and Education, 1995), 24/5.

40. UNICEF, *State of the World's Children 1997*.

41. George Kennan, PPS 23, 24 février 1948 (*Foreign Relations of the United States*, vol. 1, 1948), p. 511 ; Michael Hogan, *The Marshall Plan* (Cambridge University Press, 1987), p. 41, paraphrasant le mémorandum Bonesteel de mai 1947.

V

Le soulèvement zapatiste

L'ordre mondial a connu de profonds changements au cours des vingt-cinq dernières années. En 1970, la « société d'abondance » de l'après-guerre courait à sa perte et les profits des grandes sociétés se voyaient soumis à des pressions croissantes. Reconnaissant que les États-Unis n'étaient plus en mesure de jouer leur rôle de « banquier international », qui avait tant profité aux multinationales américaines, Richard Nixon démantela l'ordre économique international (le système de Bretton Woods) en suspendant la convertibilité du dollar en or, en imposant un contrôle des salaires et une taxation des importations et en lançant des mesures fiscales qui orientaient le pouvoir étatique, bien au-delà des normes alors en vigueur, vers une sorte d'État-providence pour les riches. Ces principes sont restés depuis à la base de la politique gouvernementale ; le processus, accéléré pendant les années Reagan, a été poursuivi par les « nouveaux démocrates ». L'implacable guerre de classes menée par les milieux d'affaires fut intensifiée, et progressivement étendue à l'échelle de la planète.

Les décisions de Nixon comptent au nombre des facteurs qui ont conduit à la dérégulation des capitaux financiers et à un changement radical de leur emploi – du commerce et des investissements à long terme à la spéculation pure. Cette évolution a eu pour effet de saper la planification économique des États, les gouvernements étant contraints de préserver la « crédibilité » des marchés, et de mener bien des économies « vers un équilibre reposant sur une faible croissance et un taux de chômage élevé », indique l'économiste John Eatwell, de l'université de Cambridge : les salaires réels stagnent ou baissent, la pauvreté et les inégalités croissent, tandis que les marchés et les profits des privilégiés sont en pleine expansion. Un processus parallèle d'internationalisation de la production fournit de nouvelles armes pour tenir en lisière les travailleurs occidentaux qui, déclare gaiement la presse économique, doivent se résoudre à abandonner leur mode de vie « luxueux » et accepter la « flexibilité du marché du travail » (autrement dit, de ne pas savoir s'ils travailleront le lendemain). Le retour de la plupart des pays d'Europe de l'Est à leurs origines tiers-mondistes renforce considérablement ces perspectives. Dans le monde entier, l'assaut contre les droits des travailleurs, les normes sociales et la démocratie reflète toutes ces victoires. Le triomphalisme d'une élite étroite est parfaitement logique, comme le sont le désespoir et la fureur en dehors des cercles privilégiés.

Le soulèvement, le jour du Nouvel An (1994), des paysans indiens du Chiapas peut être aisément compris dans ce contexte général. Il a coïncidé avec la mise en œuvre de l'ALENA, que l'armée zapatiste a qualifié de « sentence de mort » pour les Indiens, de cadeau aux riches qui approfondira encore le gouffre séparant une richesse étroitement concentrée et une misère de masse, et détruira ce qui reste de la société indigène.

Le rapport du soulèvement avec l'ALENA est en partie symbolique ; les problèmes sont bien plus profonds. Comme l'affirmait la déclaration de guerre zapatiste :

« Nous sommes le produit de 500 ans de luttes. » Aujourd'hui, celles-ci sont menées « pour le travail, la terre, le logement, la nourriture, la santé, l'éducation, l'indépendance, la liberté, la démocratie, la justice et la paix ». Le vicaire général du diocèse du Chiapas ajoutait : « Le véritable arrière-plan, c'est la marginalisation complète, la pauvreté, une longue frustration après des années passées à vouloir améliorer la situation. »

Les paysans indiens sont les principales victimes de la politique des gouvernements mexicains successifs. Mais leur détresse est largement partagée. Comme l'a observé l'éditorialiste mexicaine Pilar Valdes : « Quiconque a l'occasion d'entrer en contact avec les millions de Mexicains vivant dans une extrême pauvreté sait que nous avons là une bombe à retardement. »

Au cours de la dernière décennie de réformes économiques, le nombre de ceux qui, dans les zones rurales, connaissent une extrême pauvreté a crû de près d'un tiers. La moitié de la population mexicaine manque des ressources qui lui permettraient de satisfaire ses besoins élémentaires – une augmentation dramatique depuis 1980. Suite aux prescriptions du FMI et de la Banque mondiale, la production agricole s'est tournée vers l'exportation et les aliments destinés au bétail, au grand bénéfice de l'industrie agro-alimentaire, des consommateurs étrangers et des secteurs aisés du Mexique, tandis que la malnutrition devenait un redoutable problème de santé, que les emplois agricoles diminuaient, que des terres productives étaient abandonnées et que le Mexique se mettait à importer massivement de quoi se nourrir. Dans le secteur industriel, les salaires réels sont en chute libre. La part de la main-d'œuvre dans le PIB, qui avait augmenté jusqu'au milieu des années 1970, a décru depuis de plus d'un tiers. Ce sont là des conséquences classiques des réformes néo-libérales. Les études du FMI en Amérique latine, observe l'économiste Manuel Pastor, montrent « une réduction très nette de la part de la main-d'œuvre dans les revenus » sous l'impact de ses propres « programmes de stabilisation ».

Le secrétaire mexicain au Commerce a salué la chute des salaires comme une incitation pour les investisseurs étrangers – ce qu'elle est, tout comme la répression anti-syndicale, l'application laxiste des restrictions sur l'environnement et la politique sociale conforme aux désirs d'une minorité privilégiée. Toutes ces mesures sont, naturellement, fort bien accueillies par les institutions industrielles et financières qui accroissent leur mainmise sur l'économie mondiale, avec l'aide de mal nommés accords de « libre-échange ».

On s'attend à ce que l'ALENA condamne au chômage un grand nombre de travailleurs agricoles, accroissant la misère rurale et gonflant la main-d'œuvre excédentaire. L'emploi dans l'industrie, qui a décliné suite aux réformes, devrait décroître encore plus fortement. Une étude du journal *El Financiero*, le plus important du Mexique, prédit qu'au cours des deux années à venir le pays perdra près d'un quart de son industrie manufacturière et 14 % de ses emplois. Tim Golden écrit dans le *New York Times* : « Selon les économistes, plusieurs millions de Mexicains perdront probablement leur emploi au cours des cinq années suivant la mise en place de l'accord. » Ces processus devraient contribuer encore davantage à la baisse des salaires, tout en accroissant les profits et la polarisation sociale, avec des effets prévisibles aux États-Unis et au Canada.

Une grande part de l'attrait de l'ALENA, comme l'ont régulièrement souligné ses défenseurs les plus résolus, est qu'il « enchaîne » les pays signataires aux réformes néo-libérales qui ont mis un terme à des années de progrès dans le respect des droits syndicaux et le développement économique, provoquant ainsi un appauvrissement général et des souffrances énormes, mais aussi l'enrichissement de rares privilégiés et des investisseurs étrangers. Le *Financial Times* de Londres observe que ces « vertus » ont eu peu d'effets sur l'économie mexicaine ; après huit ans d'une « politique économique calquée sur les manuels », elles n'ont engendré qu'une faible croissance, pour l'essentiel attribuable à une aide financière sans précédent de la Banque mondiale et des États-Unis. Des taux d'intérêt élevés ont partiellement enrayé les fuites de capitaux massives qui avaient été le principal facteur de la crise de la dette mexicaine, mais le règlement de celle-ci reste un fardeau, de plus en plus lourd – sa composante essentielle étant désormais la dette intérieure envers les Mexicains les plus riches.

Il n'est pas surprenant que le projet d'« enchaîner » le pays à ce modèle de développement se soit heurté à une vive opposition. L'historien Seth Fein, qui vit à Mexico, décrit de grandes manifestations contre l'ALENA, « peu commentées aux États-Unis mais organisées avec des mots d'ordre très clairs et des cris de protestation contre la politique du gouvernement mexicain, notamment contre l'abrogation des droits au travail, à la terre ou à l'éducation inscrits dans la Constitution de 1917, particulièrement révérée dans le pays – autant de mesures qui semblent à de nombreux Mexicains représenter le véritable sens de l'ALENA et de la politique étrangère américaine » dans le pays. Juanita Darling, correspondante du *Los Angeles Times*, évoque la grande angoisse des travailleurs mexicains face à l'érosion de leurs « droits syndicaux durement acquis », qui ont toutes les chances d'être « sacrifiés alors que les compagnies mexicaines, cherchant à concurrencer leurs rivales étrangères, s'efforcent de réduire leurs coûts ».

Un « Communiqué des évêques mexicains sur l'ALENA » a condamné l'accord, et la politique économique qui l'inspire, en raison de leurs effets sociaux délétères. Les prélats prenaient ainsi à leur compte les inquiétudes exprimées en 1992 lors d'une conférence des évêques d'Amérique latine : « L'économie de marché ne doit pas devenir un absolu auquel tout serait sacrifié, accroissant les inégalités et la marginalisation d'une grande partie de la population. » C'est précisément l'impact probable de l'ALENA et des accords similaires sur les droits des investisseurs. La réaction des milieux d'affaires mexicains a été mitigée : les éléments les plus puissants étaient favorables à l'ALENA tandis que les petites et moyennes entreprises, comme leurs organisations, se montraient peu convaincues ou franchement hostiles. Le grand journal mexicain *Excelsior* prédit que l'ALENA ne bénéficierait qu'à « ces "Mexicains" qui sont aujourd'hui les maîtres de presque tout le pays (15 % d'entre eux perçoivent plus de la moitié du PIB) », une « minorité démexicanisée », et qu'il marquait un nouveau stade de « l'histoire des États-Unis dans notre pays », histoire qui est celle « d'abus et de pillages impunis ». De nombreux travailleurs (dont les membres du plus grand syndicat non gouvernemental du pays) et bien d'autres catégories de population s'opposèrent aussi à l'accord, s'inquiétant de son impact sur les salaires, les droits des travailleurs, l'environnement, la souveraineté nationale, et dénonçant la protection renforcée des droits des investisseurs et des grandes sociétés qui réduit les possibilités d'un développement durable. Homero Aridjis, président du plus grand mouvement écologiste du pays, déplora « la troisième conquête subie par le

Mexique. La première fut menée par les armes, la seconde fut spirituelle, la troisième est économique ».

En très peu de temps, ces craintes se virent justifiées. Peu après la ratification de l'ALENA par le Congrès américain, des travailleurs des usines d'Honeywell et de General Electric furent licenciés pour avoir tenté d'organiser des syndicats indépendants. En 1987, Ford s'était débarrassé de toute sa main-d'œuvre, annulant les conventions collectives et réembauchant à des salaires inférieurs ; une répression énergique était venue à bout des protestations. Volkswagen suivit cet exemple en 1992, licenciant ses 14 000 ouvriers et ne reprenant que ceux qui renonçaient à mettre sur pied des syndicats indépendants – et ce avec le soutien du gouvernement. Voilà les composantes essentielles du « miracle économique » auquel les pays signataires de l'ALENA doivent être « enchaînés ».

Quelques jours après la ratification de l'accord, le Sénat vota « le meilleur dispositif législatif anticrime de l'Histoire » (sénateur Orrin Hatch), réclamant 100 000 policiers supplémentaires, des prisons haute sécurité, des camps de rééducation pour les jeunes délinquants, une extension de la peine de mort, des sentences plus sévères et autres mesures particulièrement coûteuses. Les experts interrogés par la presse doutaient fort qu'elles aient beaucoup d'effet sur la délinquance, car elles ne prenaient pas en compte « les causes de la désintégration sociale qui produit les criminels violents ». Parmi ces causes, les politiques économiques et sociales qui polarisent la société américaine, auxquelles l'ALENA faisait faire un nouveau pas en avant. Les concepts d'« efficacité » et de « santé de l'économie », chers aux riches et aux privilégiés, n'ont rien à offrir aux catégories grandissantes de la population qui ne sont d'aucune utilité pour faire des profits et sont donc condamnées à la pauvreté et au désespoir. S'ils ne peuvent être confinés dans les taudis urbains, il faudra trouver un autre moyen de les contrôler.

Cette coïncidence législative, tout comme la date du déclenchement de la révolte zapatiste, a une importance qui n'est pas que symbolique.

Le débat sur l'ALENA s'est largement focalisé sur les flux de main-d'œuvre, sujet qui demeure mal compris. Mais une autre conséquence plus probable est que les salaires seront encore plus tirés vers le bas. Comme l'écrit Steven Pearlstein dans le *Washington Post* : « De nombreux économistes pensent que l'ALENA devrait provoquer une baisse des rémunérations » et s'attendent à ce que « des salaires mexicains moins élevés [puissent] exercer un effet gravitationnel sur ceux des États-Unis ». Les défenseurs de l'accord en conviennent, et admettent que les travailleurs moins qualifiés – près de 70 % de la main-d'œuvre – subiront des pertes de salaire.

Le lendemain de la ratification du traité par le Congrès, le *New York Times* fit paraître un premier examen de ses effets probables dans la région de New York. L'article débordait d'optimisme et témoignait d'un soutien enthousiaste. Il se préoccupait avant tout des vainqueurs prévisibles : les secteurs « financiers et assimilés », « les secteurs bancaires, des télécommunications et des services », les compagnies d'assurances, les firmes d'investissement, les cabinets d'avocats d'affaires, l'industrie des relations publiques, les consultants en management, etc. Il prédisait également que certains fabricants pourraient sortir gagnants, surtout dans l'industrie de haute technologie, l'édition et le secteur pharmaceutique, qui tous bénéficieraient des mesures protectionnistes visant à assurer le contrôle des grandes sociétés sur les technologies d'avenir. Il mentionnait en passant qu'il y aurait aussi des perdants, « avant tout les femmes, les Noirs et les Hispaniques », et plus largement « les travailleurs semi-qualifiés » – c'est-à-dire la majorité de la population d'une ville où 40 % des enfants vivent déjà en dessous du seuil de pauvreté, souffrant de problèmes de santé et d'éducation qui les « enchaînent » déjà à un destin amer.

Notant que les salaires réels étaient retombés au niveau des années 1960 pour les travailleurs à la production et la main-d'œuvre non qualifiée, l'OTA, dans son analyse de la version définitive du traité, prédisait qu'il « pourrait condamner davantage encore les États-Unis à un avenir de bas salaires et de faible productivité », bien que des mesures, proposées par l'OTA, le mouvement syndical et d'autres critiques – jamais conviés au débat –, fussent susceptibles de bénéficier aux populations des trois pays concernés.

L'ALENA tel qu'il est mis en œuvre a toutes les chances d'accélérer un « événement bienvenu et d'une importance capitale » (*Wall Street Journal*) : la réduction des coûts de main-d'œuvre américains à un niveau inférieur à celui de tout grand pays industriel, Grande-Bretagne exceptée. En 1985, les États-Unis avaient les coûts de main-d'œuvre les plus élevés des sept plus grandes économies capitalistes (le G7), comme on pouvait s'y attendre de la part du pays le plus riche du monde. Dans une économie plus étroitement intégrée, l'impact des mesures se fait sentir sur toute la planète et les concurrents doivent s'y adapter. General Motors peut s'établir au Mexique, ou aujourd'hui en Pologne, où il trouvera des travailleurs beaucoup moins chers qu'en Occident et sera protégé par des droits de douane élevés et d'autres restrictions similaires. Volkswagen peut s'installer en République tchèque pour bénéficier de protections du même ordre, toucher les profits et laisser les coûts au gouvernement local. Daimler-Benz peut conclure des arrangements similaires en Alabama. Le grand capital peut se déplacer librement, les travailleurs et les communautés en subiront seuls les conséquences. Pendant ce temps, l'énorme croissance de capitaux spéculatifs dérégulés impose de lourdes contraintes aux politiques gouvernementales de stimulation de l'économie.

De nombreux facteurs mènent la société mondiale vers un avenir de bas salaires, de faible croissance et de gros profits, qui s'accompagneront d'une polarisation et d'une désintégration sociales croissantes. Autre conséquence : l'effacement progressif des véritables processus démocratiques, les prises de décision étant assumées par des institutions privées et par les structures quasi gouvernementales qui se regroupent autour d'elles – ce que le *Financial Times* appelle « un gouvernement mondial de facto », opérant en secret sans avoir à rendre de comptes.

Une telle évolution n'a pas grand-chose à voir avec le libéralisme économique, concept d'importance limitée dans un monde où une large partie du « commerce » consiste en transactions centralisées entre firmes (c'était le cas de la moitié des exportations américaines vers le Mexique avant l'ALENA – « exportations » qui ne pénétraient jamais sur le marché mexicain). Dans le même temps, le pouvoir privé exige, et se voit accorder, une protection accrue contre les forces du marché, comme autrefois.

« Les zapatistes ont vraiment touché une corde sensible chez la majeure partie de la population », expliqua le politologue mexicain Eduardo Gallardo peu après le début de la rébellion, prédisant que ses effets seraient de grande ampleur et pourraient contribuer à l'effondrement de la dictature électorale exercée par le parti au pouvoir. Les sondages ont confirmé cette conclusion : la plupart des personnes interrogées soutenaient les raisons avancées par les zapatistes pour justifier leur soulèvement. Il en alla de même dans le monde entier, y compris dans les sociétés industrielles les plus riches : beaucoup admettaient que les préoccupations des rebelles étaient proches des leurs, en dépit de circonstances très différentes. Ce soutien fut encore renforcé à la suite d'initiatives zapatistes consistant à faire appel à des secteurs sociaux plus larges et à les engager dans des efforts communs, ou parallèles, en vue de prendre le contrôle de leur vie et de leur destin. La solidarité qui leur fut témoignée au Mexique comme ailleurs fut sans doute le principal facteur empêchant la brutale répression militaire à laquelle on pouvait s'attendre ; elle eut aussi, dans le monde entier, un effet vivifiant spectaculaire sur l'activisme syndical et politique.

Le soulèvement des paysans indiens du Chiapas ne donne qu'un petit aperçu des « bombes à retardement » prêtes à exploser – et pas seulement au Mexique.

[Une partie de cet article est parue dans In These Times *daté du 21 février 1994.]*

VI

L'« arme absolue »

Commençons par examiner quelques points très simples à partir des conditions qui dominent actuellement – et qui ne constituent pas, bien sûr, la phase ultime de la lutte sans fin pour la liberté et la justice.

Il existe une « arène publique » dans laquelle, en principe, les individus peuvent participer aux prises de décision impliquant l'ensemble de la société : la manière dont les revenus publics sont collectés et utilisés, l'orientation de la politique étrangère, etc. Dans un monde d'États-nations, cette arène est pour l'essentiel gouvernementale, à différents niveaux. La démocratie fonctionne dans la mesure où les individus peuvent y intervenir réellement, tout en gérant, individuellement et collectivement, leurs propres affaires, sans ingérence illégitime des concentrations de pouvoir. Cela présuppose une relative égalité dans l'accès aux ressources – matérielles, informationnelles et autres ; ce truisme est aussi vieux qu'Aristote. Les gouvernements sont, en théorie, institués pour servir leurs « électorats domestiques » et doivent être soumis à leur volonté. Déterminer jusqu'à quel point la théorie se conforme à la réalité et les « électorats domestiques » représentent la population, voilà donc un moyen de vérifier qu'une démocratie fonctionne.

Dans les démocraties de capitalisme d'État, l'arène publique a été étendue et enrichie par des luttes populaires souvent longues et ardues. Dans le même temps, un pouvoir privé concentré a cherché à la limiter. Ces conflits constituent une bonne part de l'histoire moderne. La façon la plus efficace de restreindre la démocratie est de transférer les prises de décision à des institutions n'ayant aucun compte à rendre : princes et rois, castes sacerdotales, juntes militaires, dictatures de parti ou grandes entreprises modernes. Les décisions prises par les responsables de General Electric affectent substantiellement l'ensemble de la société, mais les citoyens n'y prennent aucune part, du moins en principe (nous pouvons mettre de côté le mythe transparent de la « démocratie » du marché et des actionnaires).

Un pouvoir qui n'a pas de comptes à rendre offre bien certains choix à ses citoyens. Ils peuvent adresser des suppliques au roi ou au conseil d'administration, adhérer au parti au pouvoir, essayer de se vendre à General Electric, acheter ses produits. Ils peuvent lutter pour leurs droits dans les tyrannies, étatiques ou privées, et, solidairement avec les autres, chercher à limiter ou à démanteler un pouvoir illégitime, défendant des idéaux classiques, dont celui qui anime le mouvement syndical américain depuis ses origines : ceux qui travaillent dans les usines devraient pouvoir les posséder et les gérer.

La « mainmise des grandes sociétés sur l'Amérique » qui s'est abattue au cours du XIXe siècle fut une attaque contre la démocratie – et, sur les marchés, contribua au passage de ce qui ressemblait au « capitalisme » aux marchés fortement encadrés de l'ère actuelle, qui est celle du pouvoir commun de l'État et de ces firmes. On appelle « moins d'État » l'une de ses variantes actuelles. Il s'agit d'arracher le pouvoir de décision à l'arène publique pour le transférer « au peuple » selon la rhéto-rique du pouvoir, c'est-à-dire aux tyrannies privées dans le monde réel. Toutes les mesures de ce genre sont conçues pour limiter la démocratie et dompter la « vile multitude », pour reprendre le terme qu'employaient les « hommes de qualité » autoproclamés dans l'Angleterre du XVIIᵉ siècle, date du premier sursaut démocratique de la période moderne (aujourd'hui, ils préfèrent s'appeler les « hommes responsables »). Le problème fonda-mental persiste, prenant constamment de nouveaux visages, réclamant de nouvelles mesures de contrôle et de marginalisation et menant à de nouvelles formes de lutte populaire.

Les prétendus « accords sur la liberté du commerce » font partie de ces dispositifs d'atteinte à la démocratie. Ils sont destinés à transférer les décisions relatives à la vie et aux aspirations des populations entre les mains de tyrannies privées opérant en secret et sans contrôle ni supervision des pouvoirs publics ou de l'opinion. Il n'est donc pas surprenant que cette dernière ne les apprécie guère. Son opposition est presque instinctive et témoigne du soin pris pour tenir la « vile multitude » à l'écart de tout effort d'information et de compréhension.

Cette description est, dans l'ensemble, tacitement admise. L'actualité vient de nous en donner une nouvelle illustration : les efforts de ces derniers mois pour faire voter le projet de loi dit « Fast Track ». Celui-ci aurait permis à l'exécutif de négocier des accords commerciaux sans que le Congrès ait son mot à dire ni que le grand public en soit informé – un simple « oui » ou « non » aurait suffi. Fast Track reçut le soutien à peu près unanime des systèmes de pouvoir mais, comme le *Wall Street Journal* l'admettait à contrecœur, ses adversaires pourraient bien disposer de « l'arme absolue » : la majorité de la population. De fait, le grand public continua de s'opposer au projet en dépit du tir de barrage médiatique, croyant sottement qu'il devait savoir ce qui lui arrivait et y prendre une part active. De la même façon, l'ALENA avait été imposé par la force en dépit de l'opposition de l'opinion, restée ferme malgré le soutien enthousiaste du pouvoir étatique, des grandes sociétés et de leurs médias, qui refusaient même de faire connaître la position du principal opposant, le mouvement syndical, tout en dénonçant ses divers méfaits, au demeurant parfaitement imaginaires[1].

Fast Track a été présenté comme touchant à la liberté du commerce, mais c'est inexact. Le plus ardent partisan du libre-échange s'y opposera pour peu qu'il croie à la démocratie, qui est la véritable question en jeu. Les accords prévus ne concernent pas plus la liberté du commerce que les traités de l'ALENA ou du GATT, devenu OMC, dont j'ai parlé ailleurs.

Jeffrey Lang, représentant adjoint au Commerce, a exprimé clairement la raison d'être officielle de Fast Track : « Le principe de base des négociations est qu'une seule personne [le Président] peut négocier au nom des États-Unis[2]. » Le rôle du Congrès se réduit à entériner les accords, celui du grand public à regarder – de préférence ailleurs.

Ce « principe de base » est bien réel, mais d'une application un peu limitée. Il est valable pour le commerce, mais pas pour le reste – par exemple les droits de l'homme. Dans ce cas, il est même inversé : les membres du Congrès doivent se voir accorder toutes les occasions de veiller à ce que les États-Unis maintiennent leur tradition – l'une des plus ancrées de la planète – de non-ratification des accords. En ce domaine, les quelques conventions parvenues jusqu'au Congrès y sont restées bloquées pendant des années, et les rares fois où elles ont été mises en œuvre, elles ont été assorties de conditions qui les rendent inopérantes aux États-Unis – en d'autres termes, elles ne sont pas « autoexécutoires » et comportent des réserves particulières.

Le commerce est une chose, la torture, les droits des femmes et des enfants en sont une autre.

La distinction s'applique plus largement. La Chine est menacée de sévères sanctions quand elle refuse de souscrire aux exigences protectionnistes de Washington ou vient s'ingérer dans les punitions imposées aux Libyens. Mais la terreur et la torture qui règnent dans le pays ne suscitent pas les mêmes réactions : dans ce cas, les sanctions seraient « contre-productives ». Elles gêneraient les efforts visant à étendre notre croisade pour le respect des droits de l'homme aux populations souffrantes de la Chine et de ses domaines, tout comme le refus de former les militaires indonésiens diminuerait « notre capacité à influencer positivement [leur] comportement et [leur] politique des droits de l'homme », comme nous l'a récemment expliqué le Pentagone. Nous devons donc poursuivre notre effort missionnaire en Indonésie, sans tenir compte des directives du Congrès. Après tout, cette attitude est parfaitement raisonnable. Il suffit de se souvenir comment, au début des années 1960, la formation militaire dispensée par les États-Unis a « payé des dividendes » et « encouragé » les militaires à mener à bien des tâches nécessaires, selon les termes de Robert McNamara, secrétaire à la Défense, informant le Congrès et le Président après les immenses massacres de 1965* qui firent en quelques mois des centaines de milliers de morts – « sidérant massacre collectif » (*New York Times*) qui provoqua une euphorie sans bornes chez les « hommes de qualité » (le *New York Times* compris), et valut bien des récompenses aux « modérés « qui l'avaient dirigé. McNamara se félicitait tout particulièrement de ce que certaines universités américaines se chargent de former les officiers indonésiens – « un facteur très important » pour conduire « la nouvelle élite politique indonésienne » (les militaires) sur le bon chemin.

En définissant sa politique des droits de l'homme envers la Chine, l'administration s'est peut-être aussi souvenue des utiles conseils d'une mission militaire envoyée par Kennedy en Colombie : « Recourir chaque fois que c'est nécessaire aux paramilitaires, au sabotage et/ou au terrorisme contre les militants communistes connus » (terme qui désigne les paysans, les militants syndicaux, les défenseurs des droits de l'homme, etc.). Les élèves ne retinrent que trop bien la leçon : la Colombie fut pendant les années 1990 la pire violatrice des droits de l'homme de tout l'hémisphère, le tout avec une assistance militaire américaine croissante.

Les gens raisonnables comprendront donc sans peine qu'il serait contre-productif de trop importuner la Chine sur des questions telles que la torture des dissidents ou les atrocités commises au Tibet. Une telle pression pourrait même lui faire subir « les nuisibles effets d'une mise

---

* Prétextant une menace de putsch dirigé par le parti communiste indonésien, les militaires entreprirent d'exterminer sa direction et ses militants, mais aussi les syndicats ouvriers et paysans, et plus généralement tout ce qui pouvait ressembler de près ou de loin à un « rouge » (*NdT*).

à l'écart de l'influence américaine » ; c'était la raison avancée par un groupe de responsables de grandes sociétés pour justifier la levée des barrières commerciales leur interdisant d'accéder aux marchés cubains, sur lesquels ils pourraient travailler à ressusciter « les heureux effets de l'influence américaine » – ceux qui s'étaient fait sentir depuis la « libération » du pays, voilà un siècle, jusqu'au régime Batista, qui s'étaient révélés si bénéfiques en Haïti, au Salvador et dans bien d'autres paradis contemporains, et qui, par le plus grand des hasards, étaient aussi générateurs de gros profits[3].

Ce genre de subtiles distinctions doit faire partie de la panoplie de ceux qui aspirent à la respectabilité et au prestige. Les ayant nous-mêmes maîtrisées, nous voyons pourquoi les droits de l'homme, et ceux des investisseurs, doivent être traités si différemment. En fait, la contradiction touchant les « principes de base » n'est jamais qu'apparente.

Les trous noirs de la propagande

Il est toujours éclairant de déceler ce qu'omettent les campagnes de propagande. Fast Track bénéficia d'une énorme publicité, mais plusieurs questions cruciales disparurent dans le trou noir réservé aux sujets que l'on juge peu judicieux de porter à la connaissance du grand public. Parmi elles, comme je l'ai déjà signalé, le fait que ce qui était en jeu n'était pas les accords commerciaux, mais la démocratie, et que de toute façon ces derniers ne portaient pas sur la *liberté* du commerce. Plus frappant encore, tout au long de l'intense campagne médiatique, il ne semble pas avoir été fait mention une seule fois d'un autre traité à venir, l'Accord multilatéral sur l'investissement (AMI), qui aurait dû susciter des inquiétudes bien plus vives que la question de savoir comment faire en sorte que le Chili se joigne à l'ALENA ou d'autres amuse-gueule destinés à convaincre de la nécessité pour le Président de négocier seul les accords commerciaux sans ingérence du public.

L'AMI est puissamment soutenu par les institutions industrielles et financières, étroitement associées à sa mise au point depuis le début : c'est le cas par exemple du Conseil du commerce international américain qui, pour reprendre sa propre formule, « fait progresser les intérêts mondiaux des entreprises américaines, à l'intérieur comme à l'extérieur des frontières ». En janvier 1996, il publia un guide consacré à l'AMI qu'il diffusa auprès de son électorat d'affaires et des milieux associés, et certainement auprès des médias. Avant même que Fast Track ne soit présenté au Congrès, le Conseil réclama à l'administration Clinton l'intégration de l'AMI dans ce projet de loi. C'est ce que le *Miami Herald* rapporta en juillet 1997 – première mention, apparemment, de l'AMI dans la presse, qui ne fut pas suivie de beaucoup d'autres – nous y reviendrons[4].

Dans ces conditions, pourquoi un tel silence sur l'AMI pendant la controverse autour de Fast Track ? Une raison plausible vient aussitôt à l'esprit : les responsables politiques et médiatiques ne doutaient pas que, si l'opinion publique venait à être informée de l'existence de l'AMI, il y avait peu de chances qu'elle l'accueille avec joie. Une fois les faits révélés, les adversaires du traité pourraient de nouveau brandir l'« arme absolue ». Il est donc compréhensible que les négociations aient été menées derrière le « voile du secret », pour reprendre la formule de l'ancien président de la Haute Cour australienne, Sir Anthony Mason, condamnant la décision de son propre gouvernement de soustraire à la vue du public les discussions sur « un accord qui pourrait avoir un grand impact sur l'Australie si jamais nous devions le ratifier[5] ».

Aux États-Unis, aucune voix ne se fit entendre. De toute façon, elles auraient été superflues : nos institutions libres permettent de défendre beaucoup plus efficacement le « voile du secret ».

Peu d'Américains savent quoi que ce soit de l'AMI, qui depuis mai 1995 fait l'objet d'intenses négociations au sein de l'OCDE. La date butoir originellement prévue était mai 1997. Si cet objectif avait été atteint, le grand public n'en aurait pas appris davantage sur cet accord que sur la loi sur les télécommunications de 1996, nouveau cadeau de l'État aux concentrations de pouvoir privé, dont il ne fut guère question que dans les pages économiques des journaux. Mais les pays de l'OCDE ne purent parvenir à s'entendre à temps, et la date prévue fut reculée d'un an.

À l'origine, le traité devait être conclu dans le cadre de l'OMC. Mais les pays du Tiers Monde, notamment l'Inde et la Malaisie, firent capoter les efforts en ce sens ; ils comprirent parfaitement que les mesures envisagées les priveraient de moyens d'intervention dont les pays riches avaient largement usé pour se faire une place au soleil. Les négociations furent donc transférées dans les bureaux plus discrets de l'OCDE où, espérait-on, on parviendrait à un accord « que les pays en voie de développement accepteraient de signer », comme l'écrivit délicatement l'*Economist* de Londres[6] – faute de quoi, d'ailleurs, l'accès aux marchés et aux ressources des riches leur serait interdit. C'est le bon vieux concept de la « liberté de choisir » dans des systèmes où règnent de fortes inégalités de pouvoir et de richesse.

Pendant près de trois ans, la vile multitude fut donc maintenue dans une bienheureuse ignorance presque complète. Presque, car dans le Tiers Monde l'accord était une question brûlante depuis le début de 1997[7]. En Australie, les pages économiques des journaux révélèrent le pot aux roses en janvier 1998, provoquant de vives controverses dans la presse – et la condamnation de Sir Anthony Mason, s'exprimant lors d'une convention à Melbourne. L'opposition, rapportèrent les journaux, « pressa le gouvernement de communiquer le texte à la commission parlementaire chargée de l'examen des traités » avant de le signer. Mais celui-ci refusa de fournir les informations détaillées demandées et de permettre au Parlement d'enquêter : « Notre position sur l'AMI est très claire, fit-il savoir : nous ne signerons rien à moins qu'il ne soit clairement démontré qu'il est dans l'intérêt national de le faire. » Comprenez : « Nous ferons comme nous l'entendrons » – ou, plus exactement, nous ferons ce que nous diront nos maîtres ; et, conformément à une vieille convention, l'« intérêt national » sera défini par les centres de pouvoir, réunis toutes portes closes.

Sous la pression, le gouvernement finit pourtant, quelques jours plus tard, par permettre à une commission parlementaire d'examiner l'AMI. Les responsables de la presse, à contrecœur, approuvèrent cette décision : elle était devenue nécessaire pour lutter contre l'« hystérie xénophobe » entretenue par les « alarmistes » et « l'alliance impie des groupes d'aide au Tiers Monde, des syndicats, des écologistes, et de quelques partisans de la bonne vieille théorie de la conspiration ». Il convenait toutefois de prendre garde : après cette regrettable concession, il serait « d'une importance capitale que le gouvernement ne cède pas davantage sur son vif engagement » en faveur de l'AMI. Le gouvernement lui-même nia toute volonté de secret, faisant remarquer qu'un premier état du traité était disponible sur Internet – ce grâce aux groupes de militants qui l'avaient mis en ligne après que des fuites leur eurent permis d'apprendre son existence[8]. Soyons donc rassurés : en définitive, la démocratie règne bel et bien en Australie !

Au Canada, où le risque d'une incorporation aux États-Unis semble accéléré par la « liberté du commerce », « l'alliance impie » a connu un succès beaucoup plus grand. Depuis un an, le traité est discuté dans les principaux quotidiens et hebdomadaires, à la télévision et dans les réunions publiques. La Colombie-Britannique a annoncé à la Chambre des communes qu'elle était « vivement opposée » au projet d'accord, soulignant qu'il impose « d'inacceptables restrictions » aux organismes élus, aux niveaux fédéral, provincial et local, qu'il aurait aussi un impact négatif sur les programmes sociaux (assistance médicale et autres), la protection de l'environnement et la gestion des ressources naturelles, que « l'investissement » y est défini de manière extraordinairement large – et autres atteintes à la démocratie et aux droits de l'homme. Les autorités de la province se sont montrées tout particulièrement hostiles aux dispositions permettant aux grandes sociétés d'attaquer en justice les gouvernements tout en restant elles-mêmes à l'abri de toute poursuite – l'accord prévoit que leurs propres actions judiciaires seront réglées par des « commissions de conciliation non élues et n'ayant pas de comptes à rendre », composées « d'experts en questions commerciales », agissant sans règles de transparence ni obligation de présenter des preuves, et dont les décisions seront sans appel.

Le voile du secret ayant été déchiré par de grossières interventions d'en bas, le gouvernement canadien se vit contraint d'assurer l'opinion publique que, s'il l'avait tenue dans l'ignorance, c'était pour son bien. La tâche fut confiée au ministre chargé du Commerce international, Sergio Marchi. Il déclara lors d'un débat télévisé sur la chaîne CBC « vouloir penser que le peuple serait rassuré » par « l'approche honnête dont, je crois, témoigne notre Premier ministre » et par « l'amour du Canada qui est le sien ». Voilà qui devrait régler la question. La démocratie est donc en pleine santé au Canada aussi.

Selon CBC, le gouvernement canadien – comme celui de l'Australie – n'avait « actuellement aucun projet visant à légiférer sur l'AMI », et « le ministre du Commerce a ajouté que ce ne serait peut-être pas nécessaire », puisque l'accord « n'est qu'une extension de l'ALENA[9] ».

Le traité fut discuté dans les médias en France et en Angleterre, mais j'ignore si dans ces deux pays, ou dans le reste du monde libre, on a jugé nécessaire d'assurer le grand public que ses intérêts seraient servis au mieux s'il avait foi dans des dirigeants qui « l'aiment », « témoignent d'une grande honnêteté » et défendent résolument « l'intérêt national ».

On ne sera pas surpris d'apprendre que ce conte de fées a suivi un cours tout à fait exceptionnel dans le pays le plus riche du monde, où les « hommes de qualité » se déclarent champions de la liberté, de la justice, des droits de l'homme et, par-dessus tout, de la démocratie. Les responsables des médias savaient certainement depuis le début à quoi s'en tenir sur l'AMI et ses conséquences, tout comme les intellectuels et les experts habituels. J'ai déjà noté que le monde des affaires était non seulement au courant mais activement impliqué. Toutefois, dans une impressionnante démonstration d'autodiscipline – hormis de rares exceptions qui se réduisent à la marge d'erreur statistique –, la presse libre a réussi à maintenir dans l'ignorance ceux qui lui font confiance – tâche difficile dans un monde complexe.

Les grandes sociétés soutiennent l'AMI sans réserve. Leur silence anéantit toute possibilité de le prouver, mais on peut raisonnablement estimer que les secteurs qui, au sein du monde des affaires, ont la charge d'éclairer le public sont tout aussi enthousiastes. Toutefois, là encore, ils comprennent bien que l'« arme absolue » pourrait être dégainée si d'aventure la vile multitude avait vent de ce qui se passe. Le dilemme a une solution naturelle : nous l'observons depuis bientôt trois ans.

Électorats dignes et indignes

Les défenseurs de l'AMI peuvent faire valoir un argument de poids : ceux qui le critiquent ne disposent pas des informations nécessaires pour se montrer pleinement convaincants. C'était précisément la fonction du « voile du secret », qui de ce point de vue a atteint son objectif. C'est tout particulièrement vrai aux États-Unis, où les institutions démocratiques sont les plus stables et les plus anciennes du monde et où l'on peut à bon droit se flatter de vivre dans le modèle d'une démocratie capitaliste d'État. Compte tenu de cette expérience et de ce statut, on se doute que les principes démocratiques y sont clairement compris et lucidement énoncés en haut lieu. Samuel Huntington, politologue distingué de Harvard, observait dans son livre *American Politics* que le pouvoir, s'il veut être efficace, doit rester invisible : « Les architectes du pouvoir aux États-Unis doivent créer une force qui peut être ressentie, mais pas vue. Le pouvoir demeure fort tant qu'il reste dans l'obscurité : exposé à la lumière du jour, il commence à s'évaporer. » La même année (1981), il illustra cette thèse en expliquant la fonction de la « menace soviétique » : « Il se peut qu'il vous faille vendre [une intervention militaire ou une autre action du même genre] de manière à créer l'impression trompeuse que c'est l'Union soviétique que vous combattez. C'est ce que font les États-Unis depuis la doctrine Truman[10]. »

C'est à l'intérieur de ces limites – créer « une impression trompeuse » pour duper l'opinion publique et l'exclure entièrement des débats – que les dirigeants responsables pourront exercer leur art dans les sociétés démocratiques.

Il serait cependant injuste d'accuser l'OCDE d'avoir mené les négociations en secret. Après tout, les contestataires sont bien parvenus à mettre en ligne un premier état du traité, qu'ils s'étaient procuré par des méthodes illicites. Les lecteurs de la « presse alternative » et des revues tiers-mondistes, et tous ceux qu'infecte « l'alliance impie », suivent l'évolution des négociations depuis le début de 1997 au moins. Et, pour nous en tenir à l'opinion dominante, on ne peut nier la participation directe de cette organisation qui « fait progresser les intérêts mondiaux des milieux d'affaires américains » et ceux de leurs homologues des pays riches (le Conseil du commerce international américain).

Toutefois, quelques secteurs ont été un peu négligés : le Congrès, par exemple. En novembre dernier, vingt-cinq membres de la Chambre des représentants ont adressé au président Clinton une lettre dans laquelle ils l'informaient que les négociations sur l'AMI « étaient parvenues à [leur] attention » – sans doute grâce aux efforts des activistes et des groupes de défense de l'intérêt public[11] –, et lui demandaient de répondre à trois questions simples :

1) « Étant donné les récentes affirmations de votre administration selon lesquelles elle ne peut négocier des accords compliqués, multisectoriels ou multilatéraux sans l'autorité

que lui conférerait le projet "Fast Track", comment l'AMI a-t-il pu parvenir pratiquement à son terme », alors que c'est un texte « aussi compliqué que l'ALENA ou le GATT », avec des dispositions qui « exigeraient d'importantes limitations dans l'application des lois américaines et dans la définition des politiques de régulation des investissements au niveau fédéral, des États ou local » ?

2) « Comment cet accord a-t-il pu faire l'objet de négociations depuis mai 1995 sans que le Congrès ait été consulté, étant donné l'autorité constitutionnelle exclusive qui est la sienne s'agissant de la réglementation du commerce international ? »

3) « L'AMI comporte de nombreuses formules qui permettraient à de grandes sociétés, ou à des investisseurs étrangers, de poursuivre en justice le gouvernement américain et de lui réclamer des indemnités s'il entreprenait toute action restreignant la "jouissance" de leurs investissements. Ce langage général et vague va bien au-delà de la notion très limitée que définissent les lois américaines. Pourquoi les États-Unis devraient-ils se dépouiller volontairement de leur immunité souveraine et prendre la responsabilité de certains dommages au nom de formules aussi vagues, telle celle concernant toute action qui aurait "un effet équivalent" à une expropriation "indirecte" ? »

S'agissant de ce dernier point, il se pourrait que les signataires aient eu à l'esprit le procès intenté par Ethyl Corporation – célèbre producteur d'essence au plomb – contre le Canada, lui réclamant 250 millions de dollars à titre de réparations pour « expropriation » et pour les dommages causés à sa « bonne réputation ». Le Canada a en effet voté une loi interdisant l'usage du MMT, un additif à l'essence, le considérant comme une toxine dangereuse et un risque important pour la santé, d'accord en cela avec l'Agence américaine de protection de l'environnement, qui en a sévèrement limité l'usage, et l'État de Californie, qui l'a purement et simplement interdit. La plainte demandait également des dommages et intérêts pour l'effet « effrayant » de la loi canadienne, qui a conduit la Nouvelle-Zélande et plusieurs autres pays à réexaminer leur attitude envers l'emploi du MMT. Peut-être les parlementaires songeaient-ils plutôt au procès intenté à l'État mexicain par la firme américaine Metalclad, spécialiste du traitement des déchets toxiques, exigeant 90 millions de dollars pour « expropriation » : un site où elle comptait entreposer ces déchets avait en effet été déclaré zone écologique[12].

De telles procédures judiciaires sont parfaitement autorisées par les règles de l'ALENA, qui accordent en fait aux grandes sociétés les droits qui sont ceux des États nationaux (et non plus seulement ceux des individus, comme auparavant). L'objectif est sans doute de mettre à l'épreuve et, si possible, de repousser les (vagues) limites posées par ces règles. Il s'agit aussi probablement d'une manœuvre d'intimidation, procédé classique et souvent efficace permettant à ceux qui ont les poches bien garnies d'obtenir ce qu'ils veulent par le biais de menaces judiciaires parfois parfaitement frivoles[13].

« Considérant l'énormité des implications potentielles de l'AMI », concluaient les congressistes dans leur lettre au Président, « nous attendons avec impatience votre réponse à ces questions ». Ils finirent par en recevoir une, qui ne disait rien. Les médias furent informés de cet épisode mais, à ma connaissance, aucun n'en a fait mention[14].

Outre le Congrès, on avait aussi oublié le grand public. Pour autant que je sache, hormis dans les revues spécialisées, aucun article de la grande presse n'évoque l'AMI avant le milieu de 1997 – et depuis, pratiquement aucun ne l'a fait. Comme je l'ai dit, le *Miami Herald*, en juillet 1997, y fit allusion, signalant que le monde des affaires s'était impliqué avec enthousiasme dans sa conception. En décembre, le *Chicago Tribune* consacra un article à la question, observant qu'elle n'avait « reçu aucune attention de la part du grand public ni suscité aucun débat politique », hormis au Canada. « Aux États-Unis, ce silence semble délibéré », poursuivait le quotidien : « Selon des sources gouvernementales, l'administration Clinton […] n'a aucun désir de susciter de nouveaux débats sur l'économie mondiale. » Compte tenu de l'humeur de l'opinion publique, mieux vaut garder le secret, en comptant sur la complicité du système médiatique.

Quelques mois plus tard, le *New York Times* rompit le silence en faisant paraître une publicité payante du Forum international sur la mondialisation, opposé au traité. La publicité citait une manchette de *Business Week* décrivant l'AMI comme « l'accord commercial explosif dont vous n'avez jamais entendu parler ». « L'accord […] réécrirait les règles du droit de propriété étranger – affectant tous les domaines, des usines à l'immobilier et même aux valeurs boursières. Mais la plupart des législateurs n'ont jamais entendu parler de l'Accord multilatéral sur l'investissement, les pourparlers secrets menés par l'administration Clinton s'étant déroulés hors de portée des radars du Congrès » et les médias ayant respecté le vœu de silence de la Maison-Blanche. Pourquoi ? demandait le Forum international. Son passage en revue des principales dispositions du traité suffisait à donner la réponse.

Quelques jours plus tard, le 16 février 1998, le journal de la télévision publique américaine consacra un sujet à l'AMI. Une semaine après, le *Christian Science Monitor* fit paraître un article (plutôt léger). La *New Republic* avait déjà noté que l'opinion publique s'inquiétait. C'est que la question n'avait pas été traitée comme il convenait par les milieux respectables, concluait le journal, parce que « la grande presse », qui « généralement penche vers la gauche […], penche encore plus vers l'internationalisme ». Les journalistes gauchistes n'avaient donc pas discerné à temps l'opposition du grand public à Fast Track, et ne se rendaient pas compte que les mêmes fauteurs de troubles « se préparaient déjà à la bataille » contre l'AMI. La presse devait assumer ses responsabilités plus sérieusement et lancer une attaque préventive contre la « paranoïa anti-AMI », qui a « ricoché sur Internet » et même donné lieu à des conférences publiques. Il ne suffisait pas de ridiculiser l'adversaire, et garder le silence pouvait se révéler une mauvaise idée si les pays riches voulaient pouvoir « verrouiller la libéralisation des lois sur les investissements internationaux, tout comme le GATT a codifié celle du commerce ».

Le 1er avril 1998, le *Washington Post* donna à la nouvelle une audience nationale, avec une tribune libre d'un membre de sa rédaction, Fred Hiatt. Comme de coutume, il fit des gorges chaudes des critiques et des accusations de « secret » – des militants n'avaient-ils pas mis (illicitement) en ligne le texte du traité ? Comme tous ceux qui tombent à ce niveau d'apologétique, Hiatt s'abstenait de tirer les conclusions qui s'imposaient : les médias devaient quitter la scène. Toutes les preuves qu'ils avançaient pouvaient être découvertes par quiconque menant une recherche un peu fouillée, et toute analyse, commentaire ou débat était déclaré hors sujet.

Hiatt écrivait que « l'AMI n'a pas suscité beaucoup d'attention à Washington » – en effet, surtout dans son journal – un an après la première date butoir prévue pour sa signature et trois semaines avant la seconde. Il se limitait à quelques commentaires officiels parfaitement creux mais présentés comme autant de faits incontestables, et ajoutait que le gouvernement a « appris de l'épisode Fast Track qu'il faut aujourd'hui plus que jamais consulter pendant que les traités sont encore en voie d'élaboration – syndicats, responsables locaux, écologistes et bien d'autres ». Comme nous l'avons vu, c'est tout à fait ce qui s'est passé[15]...

Peut-être en réaction à la lettre des parlementaires ou à l'apparition des « cinglés », Washington, le 17 février 1998, publia une déclaration officielle sur l'AMI. Signée par Stuart Eizenstat, sous-secrétaire d'État, et par Jeffrey Lang, représentant adjoint au Commerce, elle parut dans l'indifférence générale, du moins à ma connaissance. Bien que tout à fait passe-partout, elle aurait mérité de faire les gros titres compte tenu de ce qui était déjà paru (à peu près rien). On n'y trouve aucun argument, les vertus de l'AMI sont considérées comme allant de soi. S'agissant de la main-d'œuvre, de l'environnement, le message est le même que celui des gouvernements australien et canadien : « Faites-nous confiance et bouclez-la. »

Une bonne nouvelle autrement plus intéressante était annoncée : les États-Unis avaient pris la tête, à l'OCDE, de ceux qui voulaient veiller à ce que l'accord « vienne compléter nos efforts plus larges » – et jusque-là inconnus – « pour soutenir le développement durable et le respect des normes du travail ». Eizenstat et Lang se déclaraient « ravis que les autres participants soient d'accord avec nous » sur ces questions. De surcroît, les pays de l'OCDE convenaient également de « l'importance d'une collaboration étroite avec leurs électorats en vue de parvenir à un consensus » sur l'AMI. Comme nous, ils comprenaient bien qu'« il est fondamental qu'ils aient un intérêt dans ce processus ». La déclaration ajoutait que, « dans un souci de plus grande transparence », « l'OCDE [avait] accepté de rendre public le texte d'un premier état de l'accord », peut-être même avant la date butoir[16].

Nous voici enfin en présence d'un témoignage éclatant de respect de la démocratie et des droits de l'homme. L'administration Clinton proclame qu'elle veille à ce que ses « électorats domestiques » jouent un rôle actif « en vue de parvenir à un consensus » sur l'AMI.

Mais qui sont ces « électorats domestiques » ? Un simple coup d'œil sur des faits avérés suffit pour répondre. Le monde des affaires a joué un rôle actif depuis le début des négociations. Le Congrès n'a pas été informé, et le grand public – l'« arme absolue » – a été tenu dans l'ignorance. Un simple exercice de logique élémentaire nous apprend donc ce que l'administration Clinton entend par cette formule.

C'est une leçon utile. Les valeurs qui dictent leurs actions aux puissants sont rarement énoncées avec autant de franchise et de précision. Pour être juste, les États-Unis n'en ont pas le monopole. Elles sont partagées par les centres de pouvoir étatiques et privés dans d'autres démocraties parlementaires, et par leurs homologues dans celles où il est inutile de multiplier les fioritures rhétoriques sur la « démocratie ».

Tout cela est parfaitement clair. Ne pas s'en apercevoir exigerait beaucoup de talent, tout comme ne pas se rendre compte que ces faits illustrent les mises en garde de Madison, formulées voilà deux cents ans. Il déplorait

« l'insolente dépravation de [son] temps », les agioteurs devenant « la garde prétorienne du gouvernement – à la fois ses outils et ses tyrans, corrompus par ses largesses et l'intimidant par leurs clameurs et leurs intrigues ».

Ces observations touchent au cœur même de l'AMI. Comme la plupart des politiques menées ces dernières années, surtout dans les sociétés anglo-américaines, le traité a pour fonction de saper la démocratie et les droits des citoyens en transférant toujours plus de pouvoir de décision à des institutions privées, aux gouvernements qui les considèrent comme leurs « électorats domestiques » et à l'organisation internationale avec laquelle elles ont des « intérêts communs ».

Les termes de l'AMI

Qu'énoncent les termes de l'AMI, et que laissent-ils présager ? Que découvririons-nous si l'on permettait aux faits et aux enjeux d'être présentés publiquement ?

Il ne peut y avoir de réponse définitive à ces questions. Elle nous resterait inaccessible même si nous disposions du texte complet du traité, de la liste détaillée des réserves introduites par les signataires et du compte rendu intégral des négociations. La raison en est que la réponse n'est pas dans les mots, mais dans les relations de pouvoir qui imposent leurs interprétations. Il y a deux siècles, Oliver Goldsmith, dans ce qui était alors la principale démocratie, faisait observer que « la loi broie le pauvre, et elle est faite par les riches » – la loi *telle qu'elle fonctionne*, s'entend, en dépit de toutes les belles formules. Ce principe est toujours valide[17].

Là encore, ces remarques sont des truismes qui ont de larges applications. On ne trouvera rien, dans la Constitution américaine et ses amendements, qui autorise l'octroi de droits civiques (liberté d'expression, protection contre la prise de corps, droit d'acheter les élections, etc.) à ce que les historiens du droit appellent des « entités juridiques collectives », entités considérées comme des « personnes immortelles » et dont les droits dépassent de loin ceux des individus, quand on tient compte de leur pouvoir, et sont désormais étendus à ceux des États, comme nous l'avons vu. On examinera en vain la Charte des Nations unies pour y découvrir les fondements de l'autorité dont se réclame Washington pour recourir à la force et à la violence en vue de défendre l'« intérêt national » tel qu'il est défini par les « personnes immortelles », qui jettent sur les autres sociétés « cette ombre appelée politique », pour reprendre la formule très évocatrice de John Dewey. Le code pénal américain définit le « terrorisme » avec une grande clarté, la loi punit sévèrement ce genre de crime. Mais rien n'indique que les « architectes du pouvoir » doivent échapper aux sanctions pour leur emploi de la terreur d'État, sans même parler de leurs monstrueux clients (du moins tant qu'ils jouissent des faveurs de Washington) : Suharto, Saddam Hussein, Mobutu, Noriega et bien d'autres, grands ou petits. Comme le font remarquer, année après année, les organisations de défense des droits de l'homme, toute l'aide étrangère américaine ou presque est illégale, la loi interdisant l'assistance à des pays qui recourent à « l'usage systématique de la torture ». C'est en tout cas le texte de la loi, mais est-ce bien son esprit ?

L'AMI appartient à la même catégorie de textes. Il existe une « analyse du pire » qui sera la bonne si « le pouvoir reste dans l'ombre » et si les avocats des grandes sociétés sont en mesure d'imposer leur interprétation des formules délibérément tarabiscotées et ambiguës du traité. Il existe bien sûr d'autres interprétations moins menaçantes, qui s'avéreront peut-être exactes si l'« arme absolue » l'emporte et si les procédures démocratiques influencent le processus. L'un des scénarios possibles est alors le démantèlement de toute la structure de pouvoir et des institutions illégitimes sur lesquelles elle repose. Mais ces questions doivent être résolues par l'organisation populaire et l'action, pas par les mots.

On pourrait critiquer ici certains des opposants à l'AMI (dont moi-même). Le texte définit les droits des « investisseurs », non ceux des citoyens – qui sont réduits en proportion. Ses détracteurs parlent donc d'« accord sur les droits des investisseurs », ce qui est vrai, mais un peu trompeur. Qui sont ces « investisseurs » ?

En 1997, la moitié des actions étaient détenues par 1 % (la fraction la plus riche) des foyers, et près de 90 % par le dixième le plus fortuné (la concentration est encore plus forte pour les obligations et les fidéicommis, comparable pour les autres avoirs) ; en ajoutant les fonds de retraite, on obtient une distribution à peine plus égalitaire au sein du cinquième de la population le plus aisé. Il est donc compréhensible que la radicale inflation des avoirs au cours de ces dernières années ait suscité l'enthousiasme. Et le contrôle effectif des grandes sociétés est entre un petit nombre de mains, institutionnelles et personnelles, le tout avec l'appui de la loi, après un siècle d'activisme judiciaire[18].

Le terme « investisseurs » ne devrait pas évoquer l'image d'un prolétaire à l'usine mais celle de Caterpillar Corporation, qui vient juste de briser une grève de grande ampleur en tirant parti de ces investissements tant vantés à l'étranger : grâce à la remarquable croissance de ses profits – semblable à celle d'autres « électorats domestiques » –, elle a créé à l'étranger une capacité de production excédentaire pour venir à bout des travailleurs de l'Illinois qui tentaient de résister à la dégradation de leurs salaires et de leurs conditions de travail. De tels événements sont très largement dus à la libéralisation financière de ces vingt-cinq dernières années, qui sera encore renforcée par l'AMI – notons à ce sujet que cette période a également été marquée par une croissance exceptionnellement faible (cela concerne aussi le « boom » actuel, qui constitue le redressement le plus médiocre de l'après-guerre), une réduction des salaires et d'importants profits – sans parler des restrictions au commerce imposées par les riches.

S'agissant de l'AMI et d'autres accords du même type, il vaudrait donc mieux parler, plutôt que de « droits des investisseurs », de « droits des grandes sociétés ». Les véritables « investisseurs » sont en effet des entités juridiques collectives, non des « personnes » telles que les définissaient l'usage courant et la tradition avant que l'activisme judiciaire moderne ne crée le pouvoir actuel des grandes sociétés.

Ce qui fait surgir une autre critique. Les opposants à l'AMI affirment souvent que le traité accorde trop de droits à ces firmes. Mais dire que le roi, le dictateur ou le propriétaire d'esclaves ont trop de droits, c'est déjà céder du terrain. Pour être encore plus exact, il faudrait ainsi parler, à propos des mesures prévues par l'AMI, non pas d'« accords sur les droits des grandes sociétés », mais sur le *pouvoir* des grandes sociétés. Après tout, on ne voit pas pourquoi elles devraient avoir des droits.

Voilà un siècle qu'a eu lieu leur prise de pouvoir dans les pays où règne le capitalisme d'État, partiellement en réaction à de massives défaillances du marché. Les conservateurs – espèce quasiment disparue aujourd'hui –

s'opposèrent à juste titre à cette attaque menée contre les principes fondamentaux du libéralisme classique. On peut rappeler la piètre idée qu'avait Adam Smith des « sociétés par actions » de son temps, surtout si leurs responsables se voyaient accorder une certaine indépendance, et sa dénonciation de la corruption inhérente au pouvoir privé, « conspiration contre le public », selon son acerbe formule, quand les hommes d'affaires se retrouvent pour déjeuner, et plus encore quand ils forment des entités juridiques collectives et nouent des alliances entre eux, tandis que le pouvoir d'État leur octroie des droits exorbitants qu'il ne cesse de renforcer.

En gardant à l'esprit ces conditions, revenons à certaines dispositions prévues par l'AMI en nous fiant aux informations qui ont pu parvenir au public grâce à l'« alliance impie ».

Les « investisseurs » se voient garantir le droit de déplacer librement leurs avoirs, financiers ou productifs, sans « ingérence du gouvernement » (c'est-à-dire de la voix de l'opinion publique). Grâce à des chicaneries fréquentes dans le monde des affaires et parmi les avocats des grandes sociétés, les droits accordés aux investisseurs étrangers peuvent être facilement transférés à leurs collègues du pays. De nombreux droits démocratiques pourraient ainsi être supprimés, dont ceux qui garantissent la propriété locale, le partage des technologies, l'encadrement local, la responsabilité des grandes sociétés, le salaire minimum, les mesures préférentielles (zones défavorisées, minorités, femmes, etc.), la protection des droits syndicaux, du consommateur et de l'environnement, les restrictions imposées à l'usage des produits dangereux, la défense des petites entreprises, le soutien aux industries stratégiques émergentes, les réformes agraires, le contrôle par les travailleurs et les communautés (c'est-à-dire les fondements d'une démocratie authentique), l'activité syndicale (qui pourrait être considérée comme une atteinte illégale à l'ordre), et ainsi de suite.

Les « investisseurs » auront désormais le droit de poursuivre en justice l'appareil d'État, à tous les niveaux, s'ils estiment qu'il viole les droits qui leur ont été accordés. Bien entendu, il n'existe aucune réciprocité, gouvernements et citoyens ne pouvant déposer plainte contre eux. En ce domaine, les procès intentés par Ethyl et Metalclad sont des coups de sonde exploratoires.

Aucune restriction ne peut être imposée à l'investissement dans les pays qui violent les droits de l'homme – l'Afrique du Sud du temps de l'apartheid, la Birmanie aujourd'hui. Les puissants sont au-dessus des traités comme des lois.

Il est également interdit de chercher à restreindre les flux de capitaux, comme le fit par exemple le Chili pour décourager leur afflux à court terme – une initiative qui, pense-t-on généralement, a quelque peu protégé le pays des effets destructeurs de marchés financiers hautement volatils, soumis à des comportements moutonniers aussi imprévisibles qu'irrationnels. Même chose pour les mesures à plus long terme qui pourraient contrebalancer les effets délétères de la libéralisation des capitaux financiers. Cela fait des années que des propositions sérieuses sont avancées pour mettre en œuvre de telles propositions, mais jamais elles n'ont été incluses dans les programmes des « architectes du pouvoir ». Certes, il se pourrait que l'économie souffre de la libéralisation financière, comme le montrent de nombreux éléments, mais c'est bien peu de chose en comparaison des avantages substantiels qu'elle offre depuis vingt-cinq ans sous l'impulsion des gouvernements anglais et américain. Elle contribue en effet à la concentration de la richesse, à fournir des armes puissantes pour lutter contre les programmes sociaux, à entraîner une « importante retenue des salaires » et une « retenue atypique des augmentations compensatoires, [qui] semble due pour l'essentiel à une plus grande insécurité des travailleurs » – phénomène si cher à Alan Greenspan et à l'administration Clinton et sous-tendant un « miracle économique » qui impressionne ceux qui en bénéficient et les observateurs naïfs, surtout à l'étranger.

Rien de bien surprenant dans tout cela. Ceux qui, après la Seconde Guerre mondiale, édifièrent le nouveau système économique international étaient partisans de la liberté du commerce, mais aussi de la réglementation des flux de capitaux : c'était même le fondement des accords de Bretton Woods et de la charte du FMI. La raison en est que l'on s'attendait, de manière assez plausible, à ce que la libéralisation financière gêne la liberté du commerce et constitue une arme puissante contre la démocratie et l'État-providence, massivement soutenu par l'opinion publique. La réglementation des flux de capitaux permettrait aux gouvernements de mener une politique monétaire et fiscale, d'assurer le plein emploi et la mise en œuvre de programmes sociaux sans avoir à redouter les fuites de capitaux, comme le fit remarquer Harry Dexter White, le négociateur américain, approuvé par John Maynard Keynes, son homologue britannique. Inversement, la liberté des flux de capitaux permettrait la création de ce que certains économistes ont appelé un « Sénat virtuel », au sein duquel un capital financier fortement concentré imposerait sa politique sociale à des populations réticentes et punirait les gouvernements indociles par des fuites de capitaux[19]. Les hypothèses sur lesquelles reposaient les accords de Bretton Woods restèrent largement dominantes pendant l'« âge d'or » de l'après-guerre, marqué par une forte croissance de l'économie et de la productivité, ainsi que par l'extension des conquêtes sociales. Le système fut démantelé par Richard Nixon avec le soutien de la Grande-Bretagne, puis des autres grandes puissances. La nouvelle orthodoxie fut institutionnalisée au sein du « consensus de Washington », dont les conséquences sont assez conformes à ce que redoutaient les concepteurs du système de Bretton Woods.

Le « consensus » a provoqué pour les « miracles économiques » un vif enthousiasme, qui commence toutefois à faiblir chez les gérants de l'économie mondiale suite aux désastres qui se sont succédé depuis la libéralisation des capitaux financiers à partir des années 1970, menaçant les « électorats domestiques » au même titre que les populations. Joseph Stiglitz, principal économiste de la Banque mondiale, les responsables du *Financial Times* de Londres et bien d'autres, proches des centres de pouvoir, ont réclamé des mesures pour réglementer les flux de capitaux, suivant l'exemple d'institutions aussi respectables que la Banque des règlements internationaux. La Banque mondiale elle-même semble avoir changé de cap. En fait, non seulement l'économie mondiale est complexe, mais il devient difficile d'ignorer certaines faiblesses graves, comme d'ailleurs d'y remédier. Il se pourrait bien que l'on assiste à des changements inattendus[20].

En ce qui concerne l'AMI, il prévoit que les signataires seront liés pour vingt ans. C'est là « une proposition du gouvernement américain », selon un porte-parole de la Chambre de commerce canadienne, par ailleurs principal conseiller aux investissements et au commerce de la branche canadienne d'IBM et représentant son pays dans les débats publics[21].

Le traité comporte un « effet de cliquet* », conséquence directe des dispositions relatives au *standstill* et au *rollback*. Le premier signifie qu'il sera impossible de voter toute loi nouvelle qui serait jugée non conforme à l'AMI ; le second impose l'élimination de toute législation déjà existante qui serait pareillement considérée comme contraire au traité. Dans les deux cas, on devine sans peine qui sera chargé de vérifier la conformité à l'accord. L'objectif est d'« enchaîner » les pays signataires à des arrangements qui, au fil du temps, réduiront de plus en plus l'arène publique et, en outre, transféreront le pouvoir aux « électorats domestiques » et à leurs structures internationales. Parmi elles, un imposant ensemble d'alliances entre grandes sociétés visant à administrer la production et le commerce, en s'appuyant sur des États puissants chargés de maintenir le système tout en socialisant les coûts et les risques pour le compte de leurs multinationales respectives – c'est-à-dire à peu près toutes, selon des études techniques récentes.

La signature de l'AMI a été fixée au 27 avril 1998, mais à mesure que la date approche il devient de plus en plus clair qu'elle sera retardée en raison de la montée des protestations populaires et de querelles entre membres du club. Selon les rumeurs filtrant des organes de pouvoir (essentiellement de la presse économique étrangère), ces querelles portent sur la volonté de l'Union européenne et des États-Unis d'accorder des faveurs à leurs États

---

* D'abord repéré par les économistes en matière de consommation des ménages, cet effet explique que leur consommation ne baisse pas alors que leurs revenus diminuent ; la situation ne change qu'après épuisement de l'épargne. De manière plus générale, l'« effet de cliquet » a pour conséquence de rendre impossible tout retour en arrière (*NdT*).

clients : les efforts européens visent à se créer un marché intérieur semblable à celui dont jouissent les multinationales américaines, la France et le Canada émettent des réserves afin de conserver un certain contrôle sur leur industrie culturelle (menace beaucoup plus grave pour les petits pays), et l'Europe proteste contre les formes les plus arrogantes de l'ingérence américaine sur les marchés, comme le Helms-Burton Act.

L'*Economist* signale d'ailleurs d'autres problèmes. Les questions relatives au travail et à l'environnement, « à peine mentionnées au début », deviennent de plus en plus difficiles à évincer. Et il est tout aussi compliqué d'ignorer les paranoïaques qui « veulent voir inscrites dans le traité des normes exigeantes imposées aux investisseurs étrangers » dans ces deux domaines, car « leurs violentes attaques sont diffusées par un réseau de sites Internet, si bien que les négociateurs ne savent plus trop comment procéder ». Une possibilité serait de tenir compte de ce que veut l'opinion publique, mais c'est une option exclue par principe puisqu'elle saperait la raison d'être de toute l'entreprise[22].

Si les délais n'étaient pas respectés, si la tentative était abandonnée, cela ne prouverait pas pour autant que « tout cela n'a servi à rien », précise l'*Economist* à l'intention de son lectorat. Des progrès ont été faits et, « avec un peu de chance, des éléments de l'AMI pourraient faire partie d'un projet d'accord mondial sur l'investissement dans le cadre de l'OMC », accord que les « pays en voie de développement », toujours si réticents, pourraient accepter de meilleur gré – après avoir été maltraités quelques années par des marchés irrationnels et avoir subi la rigueur que les maîtres du monde aiment imposer à leurs victimes, tandis que des éléments de l'élite prennent progressivement conscience qu'ils pourraient avoir leur part de privilèges en aidant à diffuser les doctrines des puissants, si fausses qu'elles puissent être et quel que soit le prix à payer pour les autres. Attendons-nous à ce que « des éléments de l'AMI » reprennent forme ailleurs, peut-être au sein du FMI, dont la tradition du secret conviendrait parfaitement.

D'un autre côté, tous ces retards ont donné à la vile multitude de nouvelles occasions de déchirer le voile du secret...

Il est important que le grand public puisse découvrir ce qu'on lui prépare. Les efforts des gouvernements et des médias pour le dissimuler à tous, hormis à leurs « électorats domestiques », sont parfaitement compréhensibles. Mais de telles barrières ont été autrefois abattues par une vigoureuse action populaire, et peuvent l'être de nouveau.

[Originellement paru dans le numéro de mai 1998 de Z sous le titre : « Les électorats domestiques ».]

NOTES

1. Voir mes articles dans Z à l'époque ; pour un passage en revue, voir Noam Chomsky, *World Orders, Old and New* (Columbia University Press, 1994), ainsi que les chapitres IV et V du présent ouvrage. Glenn Burins, « Labor fights against Fast-Track trade measures », *Wall Street Journal*, 16 septembre 1997.

2. Bob Davis, *Wall Street Journal*, 3 octobre 1997.

3. Bruce Clark, « Pentagon strategists cultivate defense ties with Indonesia », *Financial Times*, 23 mars 1998. 1965 : voir Noam Chomsky, *Year 501* (South End, 1993 ; trad. fr. *L'An 501 : la lutte continue*, Montréal, Écosociété, 1996),

chapitre 4. JFK et la Colombie : voir Michael McClintock, *in* Alexander George (éd.), *Western State Terrorism* (Polity, 1991) et *Instruments of Statecraft* (Pantheon, 1992). Cuba · Nancy Dunne, *Financial Times*, 24 mars 1998.

4. Jane Bussey, « New rules could guide international investment », *Miami Herald*, 20 juillet 1997.

5. Anthony Mason, « Are our sovereign rights at risk ? », *Age*, 4 mars 1998.

6. *Economist*, 21 mars 1998.

7. Voir note 9 ci-dessous.

8. La disponibilité de versions plus récentes a donné lieu à des affirmations contradictoires. David Forman, *Australian*, 14 janvier ; Tim Colebatch, « Inquiry call over "veil of secrecy" », *Age*, 4 mars 1998 ; éditoriaux de l'*Australian*, 9 et 12 mars 1998 ; éditorial de *Age*, 14 mars 1998.

9. Laura Eggertson, « Treaty to trim Ottawa's power », *Toronto Globe and Mail*, 3 avril 1997 ; *Macleans*, 28 avril et 1er septembre 1997 ; chaîne télévisée CBC, 30 octobre et 10 décembre 1997. Voir *Monetary Reform* (Shanty Bay, Ontario), n° 7 (hiver 1997-1998). Sur l'OMC, voir Martin Khor, « Trade and investment : Fighting over investors' rights at WTO », *Third World Economics* (Penang), 15 février 1997. Premier état du texte : OCDE, *Multilateral Agreement on Investment : Consolidated Texts and Commentary* (OLIS, 9 janvier 1997 ; DAFFE/MAI/97 ; confidentiel) ; disponible auprès du Preamble Center for Public Policy (1737 21st Street NW, Washington DC 20009). On a également fait état de versions ultérieures, ainsi Martin Khor, *Third World Economics*, 1-15 février 1998, citant l'OCDE, 1er octobre 1997. Voir Scott Nova et Michelle Sforza-Roderick de Preamble, « M.I.A. Culpa », *Nation*, 13 janvier 1997, ainsi que d'autres comptes rendus de la presse indépendante (« alternative »). Pour plus d'informations, voir Maude Barlow et Tony Clarke, *MAI and the Threat to American Freedom* (New York, Stoddart, 1998) ; International Forum on Globalization (1555 Pacific Avenue, San Francisco, CA 94109) ; Public Citizen's

Global Trade Watch (215 Pennsylvania Avenue, SE, Washington DC 20003) ; Preamble Center ; People's Global Action (playfair@asta.rwth-aachen.de).

10. Samuel Huntington, *American Politics : The Promise of Disharmony* (Harvard University Press, 1981), cité par Sidney Plotkin et William Scheurmann, *Private Interests, Public Spending* (South End, 1994), p. 223. Huntington, « Vietnam reappraised », *International Security*, été 1981.

11. Lettre de la Chambre des représentants sur l'AMI adressée au président Clinton, 5 novembre 1997.

12. Laura Eggertson, « Ethyl sues Ottawa over MMT law », *G&M*, 15 avril 1997 ; *Third World Economics*, 30 juin 1997 ; *Briefing Paper : Ethyl Corporation v. Government of Canada,* Preamble Center for Public Policy, n.d. ; Joel Millman, *Wall Street Journal*, 14 octobre 1997. La loi interdit simplement l'importation et le commerce du MMT entre provinces, mais c'est dans les faits une interdiction puisque Ethyl en est le seul producteur. Par la suite, le Canada a capitulé et levé cette interdiction, ne souhaitant pas se lancer dans un procès coûteux. John Urquhart, *Wall Street Journal*, 21 juillet 1998. Le Canada doit désormais affronter d'autres accusations d'« expropriation » de la part de la compagnie américaine SD Myers, spécialisée dans le traitement des déchets toxiques, là encore au nom des règles de l'ALENA, cette fois à propos d'une loi interdisant l'exportation de PCB toxiques. Scott Morrison et Edward Alden, *Financial Times*, 2 septembre 1998.

13. Exemple récent, le procès intenté par Beverly Enterprises, une chaîne de cliniques, à l'historienne du travail Kate Bronfenbrenner, de l'université Cornell, qui avait témoigné sur ses pratiques lors d'une réunion, sur l'invitation de membres de la délégation parlementaire de Pennsylvanie (communication personnelle ; voir aussi Steven Greenhouse, *New York Times*, 1er avril 1998 ; Deidre McFadyen, *In These Times*, 5 avril 1998). Pour Beverly, l'issue du procès est en fait sans importance ; ses accusations suffisent à porter tort au

professeur Bronfenbrenner et à son université, et auront peut-être un effet dissuasif sur d'autres chercheurs.

14. Lettre de la Maison-Blanche, 20 janvier 1998. Je suis redevable au secrétariat des membres du Congrès, en particulier celui de Bernie Sanders, de la Chambre des représentants.

15. Jane Bussey, « New rules could guide international investment », *Miami Herald*, 20 juillet 1997 ; R.C. Longworth, « New rules for global economy », *Chicago Tribune*, 4 décembre 1997. Voir aussi Jim Simon, « Environmentalists suspicious of foreign-investors-rights plan », *Seattle Times*, 22 novembre 1997 ; Lorraine Woellert, « Trade storm brews over corporate rights », *Washington Times*, 15 décembre 1997. *Business Week*, 9 février 1998 ; *New York Times*, 13 février 1998, publicité payante ; chaîne publique NPR, journal télévisé du matin, 16 février 1998 ; Peter Ford, *Christian Science Monitor*, 28 février 1998 ; Peter Beinart, *New Republic*, 15 décembre 1997 ; Fred Hiatt, *Washington Post*, 1er avril 1998.

16. « The Multilateral Agreement on Investment », déclaration du sous-secrétaire d'État Stuart Eizenstat et du représentant adjoint au Commerce Jeffrey Lang, 17 février 1998.

17. Oliver Goldsmith, « The Traveller » (1765).

18. Lawrence Mishel, Jared Bernstein et John Schmitt, *The State of Working America, 1996-1997* (Economic Policy Institute, M.E. Sharpe, 1997). Sur le contexte juridique, voir tout particulièrement Morton Horwitz, *The Transformation of American Law, 1870-1960* (Oxford University Press, 1992), chapitre 3.

19. Eric Helleiner, *States and Reemergence of Global Finance* (Cornell, 1994) ; James Mahon, *Mobile Capital and Latin American Development* (Pennsylvania State University, 1996).

20. Helleiner, *op. cit.*, p. 190. Éditorial, « Regulating capital flows », *Financial Times*, 25 mars 1998 ; Joseph Stiglitz, même date ; *The State in a Changing World : World Development Report 1997* (World Bank, 1997). L'économiste

David Felix a suivi régulièrement ces événements, dont il a donné des analyses très riches, ainsi dans « Asia and the crisis of financial liberalization », *in* Dean Baker, Gerald Epstein et Robert Pollin (éd.), *Globalization and Progressive Economic Policy* (Cambridge University Press, 1998).

21. Doug Gregory, St. Lawrence Center Forum, 18 novembre 1997, repris dans *Monetary Reform*, n° 7 (hiver 1997-1998).

22. Voir Guy de Jonquières, « Axe over hopes for MAI accord », *Financial Times*, 25 mars 1998 ; *Economist*, 21 mars 1998.

VII

« Des hordes de francs-tireurs »

Le chapitre précédent est parti à l'impression quelques semaines avant avril 1998 – date butoir fixée pour la signature de l'AMI par les pays membres de l'OCDE. À l'époque, il était déjà clair qu'ils ne parviendraient pas à un accord, et c'est bien ce qui s'est passé. L'événement est d'importance et vaut la peine d'être examiné de près, à titre de leçon sur ce que l'on peut obtenir grâce à l'« arme absolue » de l'activisme et de la mobilisation populaire, même quand les circonstances sont extrêmement défavorables.

Cet échec est en partie le résultat de querelles internes – ainsi les objections de l'Europe au système fédéral américain et au pouvoir de juridiction extraterritorial des lois américaines, ou encore son souci de préserver un certain degré d'autonomie culturelle, etc. Mais un problème autrement plus important se dessinait : l'opposition massive de l'opinion publique du monde entier. Il devenait de plus en plus difficile de faire en sorte que les règles de l'ordre mondial continuent d'être « rédigées par des avocats et des hommes d'affaires qui comptent bien en tirer profit », et par « des gouvernements qui leur demandent conseil et assistance », alors même que, « invariablement, la voix du grand public ne se fait pas entendre » – pour reprendre les termes du *Chicago*

Tribune décrivant les négociations et les efforts en vue de « définir les règles » de l'« activité mondiale » en d'autres domaines, sans que l'opinion publique s'en mêle. En bref, il devenait plus compliqué de limiter son intervention aux secteurs que l'administration Clinton, avec une clarté aussi involontaire qu'inattendue, appelait ses « électorats domestiques » : le Conseil du commerce international américain, et plus généralement les concentrations de pouvoir privé – mais, bien entendu, pas le Congrès (qui n'avait pas été informé, en violation des exigences constitutionnelles), ni le grand public, dont on avait étouffé la voix sous le « voile du secret » maintenu, avec une impressionnante discipline, pendant trois ans de négociations intensives[1].

L'*Economist* de Londres avait soulevé le problème alors que la date butoir approchait. Divers groupes défendant l'intérêt public et des organisations de base faisaient circuler les informations, et il devenait difficile d'ignorer ceux qui voulaient que soient insérées dans l'accord « des normes très strictes quant à la manière dont les investisseurs étrangers traitent les travailleurs et protègent l'environnement », questions « à peine évoquées » tant que les délibérations se limitaient aux « électorats domestiques » des États démocratiques[2].

Comme il fallait s'y attendre, les pays de l'OCDE n'étaient toujours pas d'accord à la date du 27 avril 1998, et nous sommes passés à une phase nouvelle. Conséquence non négligeable, la presse américaine est sortie de son silence, resté jusqu'alors à peu près complet. Louis Uchitelle, correspondant économique du *New York Times*, a ainsi fait savoir que la date limite avait été repoussée de six mois sous la pression populaire. En règle générale, les traités relatifs au commerce et aux investissements « retiennent peu l'attention du grand public » (mais pourquoi diable ?), et si « les questions du travail salarié et de l'environnement n'en étaient pas exclues », expliquait le responsable au commerce international de la National Association of Manufacturers, « elles n'étaient pas au centre » des préoccupations des négociateurs et de l'OMC. Mais voilà que « des inconnus s'en venaient faire connaître à grands cris leur opinion sur un traité qui doit s'appeler Accord multilatéral sur l'investissement », ajoutait Uchitelle (avec, je présume, une ironie voulue) – et leurs clameurs suffirent à provoquer ce retard.

L'administration Clinton, « reconnaissant la pression », s'est efforcée de présenter les choses sous une lumière plus favorable. Son représentant aux négociations sur l'AMI a ainsi déclaré : « Nous soutenons vivement les mesures qui dans le traité feront progresser les objectifs environnementaux de notre pays, ainsi que notre programme relatif aux normes internationales sur le travail. » Les braillards ne faisaient donc qu'enfoncer des portes ouvertes, et auraient dû être soulagés d'apprendre que Washington était l'avocat le plus passionné de leur cause.

Dans ses pages financières, le *Washington Post* apprit également à ses lecteurs que la signature du traité était retardée, blâmant avant tout « l'intelligentsia française » qui s'était « emparée de l'idée » que les règles définies par l'AMI « menaçaient la culture hexagonale », rejointe en cela par les Canadiens. « Et l'administration Clinton n'a guère cherché à se battre pour l'accord, surtout face à la vive opposition de nombre de groupes syndicaux et écologistes qui avaient combattu [l'ALENA] » et ne comprenaient pas qu'ils se fourvoyaient, l'administration Clinton ayant tout du long défendu des « objectifs environnementaux » et des « normes internationales relatives au travail » – ce qui n'est pas totalement faux, les uns et les autres étant laissés dans un flou artistique[3].

Dire que le mouvement syndical a « combattu l'ALENA » est une autre façon de présenter le fait qu'il a en réalité réclamé une version du traité qui servirait les intérêts des peuples des trois pays concernés, et pas seulement ceux des investisseurs, et que sa critique détaillée de l'accord et ses propositions sont restées interdites de séjour dans les médias (comme d'ailleurs les analyses et les suggestions de l'OTA, qui allaient dans le même sens).

Time nous apprit que le retard était dû « en grande partie à ce militantisme tel qu'il s'exprime à San Jose » (Californie), faisant référence à une manifestation d'écologistes. « L'accusation selon laquelle l'AMI viderait de leur contenu les dispositifs nationaux de protection de l'environnement a transformé en cause célèbre un accord économique purement technique. » La remarque fut reprise dans la presse canadienne, qui fut la seule en Occident à traiter sérieusement de la question (sous la vive pression des activistes et des organisations populaires) après seulement deux ans de silence. Le *Toronto Globe and Mail* fit ainsi observer que les gouvernements de l'OCDE « n'étaient pas de taille [...] face à un regroupement mondial d'organisations de base qui ont contribué à faire capoter l'accord, armés simplement d'ordinateurs et de connexions Internet[4] ».

Le *Financial Times* de Londres, le plus grand quotidien économique du monde, reprit le même thème sur un ton de désespoir, voire de terreur. Dans un article intitulé « Les guérillas des réseaux », il apprit à ses lecteurs que « les gouvernements des pays industrialisés étaient remplis de crainte et de perplexité », leurs efforts en vue d'imposer l'AMI en secret ayant été, « à leur grande consternation », « pris en embuscade par une horde de francs-tireurs dont les motivations et les méthodes ne sont que vaguement comprises dans les grandes capitales ». Ce qui est bien naturel : puisqu'ils ne font pas partie des « électorats domestiques », comment s'attendre à ce que les gouvernements les comprennent ? « Cette semaine, poursuivait le quotidien, la horde a remporté son premier succès » en bloquant l'accord sur l'AMI, « et certains pensent que cela pourrait modifier fondamentalement la manière dont les accords économiques internationaux sont négociés ».

Ces hordes déchaînées sont terrifiantes à voir : « elles comprennent des syndicats, des lobbyistes écologistes ou des droits de l'homme et des groupes de pression opposés à la mondialisation » – du moins à celle que réclament les « électorats domestiques ». Elles ont submergé les structures de pouvoir, d'une pathétique impuissance, des sociétés industrielles les plus riches. Elles sont dirigées par « des mouvements marginaux extrémistes » et disposent « d'une bonne organisation et de ressources financières solides », qui leur permettent « d'exercer une grande influence sur les médias et les membres des parlements nationaux ». Aux États-Unis, cette « influence » était en fait égale à zéro, et en Grande-Bretagne il en allait à peu près de même ; elle atteignait une telle ampleur que Jack Straw, ministre de l'Intérieur du gouvernement travailliste, admit lors d'une interview à la BBC qu'il n'avait jamais entendu parler de l'AMI. Mais il faut bien comprendre que le moindre manquement au conformisme représente un terrible danger.

Le quotidien poursuivait en soulignant la nécessité, pour repousser les hordes, de « battre le rappel afin d'obtenir le soutien des milieux d'affaires ». Jusqu'à présent, ils n'avaient pas pris conscience de la gravité de la menace. Et pourtant, « des négociateurs commerciaux chevronnés » les mettaient en garde : compte tenu des « exigences croissantes de franchise et de responsabilité », il devenait « moins aisé aux participants de conclure des accords toutes portes closes et de les soumettre aux parlements pour simple approbation sans discussion ». « Bien au contraire, ils devaient faire face à des pressions qui visaient à conférer à leurs actions une légitimité populaire plus grande en les expliquant et en les défendant publiquement », ce qui n'est pas chose facile devant des hordes soucieuses « de sécurité économique et sociale », et alors même que l'impact des accords commerciaux « sur la vie des gens ordinaires [...] risque de susciter un ressentiment populaire » et une « sensibilisation à des questions telles que l'environnement et les normes de sécurité alimentaire ». Il pourrait même devenir impossible « de résister aux exigences des groupes de pression de participer directement aux décisions de l'OMC, ce qui violerait les principes fondamentaux de cet organisme » – lequel, selon l'un de ses responsables, est « le lieu où les gouvernements s'entendent en privé contre ces groupes ». Et si les murs s'effondrent, cette institution, comme d'autres organisations secrètes du même genre gouvernées par les riches et les puissants, pourrait se transformer en « terrain de chasse des intérêts particuliers » : travailleurs, paysans, personnes soucieuses de la sécurité économique, sociale, alimentaire, du destin des générations futures, et autres marginaux extrémistes qui ne comprennent pas que les ressources sont utilisées au mieux quand elles sont mises au service des profits à court terme du pouvoir privé, servi par des gouvernements qui « s'entendent en privé » pour protéger et renforcer leur pouvoir[5].

Il est inutile d'ajouter que les lobbies et les groupes de pression qui suscitent tant de craintes et de consternation ne sont ni le Conseil du commerce international américain, ni « les avocats et hommes d'affaires » qui « rédigent les règles de l'ordre mondial », mais la « voix du grand public », qui « reste invariablement absente ».

Bien entendu, l'« entente en privé » va bien au-delà des accords commerciaux. Que le grand public soit contraint d'assumer la responsabilité des coûts et des risques est un fait bien connu, ou qui devrait l'être, des observateurs de ce que ses thuriféraires appellent « l'économie capitaliste de la libre entreprise ». Dans l'article cité plus haut, Uchitelle précise que Caterpillar, qui a récemment tiré parti d'une capacité de production excédentaire à l'étranger pour briser une grève de grande ampleur*, a installé hors des États-Unis 25 % de ses capacités de production et compte, d'ici à 2010, augmenter de 50 % les ventes à partir de l'extérieur, avec l'aide des contribuables américains. « La Export-Import Bank joue un rôle important dans la stratégie » de la firme grâce à « des crédits à faible taux d'intérêt » en vue de faciliter l'opération. Ces crédits fournissent déjà près de 2 % des 19 milliards de dollars de revenu annuel de Caterpillar, et croîtront encore avec les nouveaux projets prévus en Chine. C'est une manière classique d'opérer : les multinationales s'appuient sur les États pour des services essentiels[6]. Comme l'explique un responsable de Caterpillar : « Sur des marchés à hauts risques et riches en opportunités, il faut vraiment avoir quelqu'un de votre côté », et les gouvernements – surtout s'ils sont puissants – « auront toujours plus

---

* Voir *supra*, p. 219.

d'influence » et seront toujours plus disposés que les banques à accorder des prêts à faible taux d'intérêt, grâce aux largesses involontaires du contribuable.

Le management doit rester aux États-Unis, de telle sorte que les gens qui comptent soient près de leur protecteur et jouissent du style de vie qu'ils méritent, ainsi que d'un paysage « nettoyé » – les taudis des travailleurs étrangers ne viendront pas leur gâcher la vue. Outre les profits qu'elle assure, l'opération procure une arme utile contre les travailleurs qui osent relever la tête (comme l'illustre la grève récente) et aident à financer la perte de leurs emplois et les armes toujours plus affûtées de la guerre de classes. De plus, tout cela améliore la santé d'une « économie de conte de fées » qui repose sur une « plus grande insécurité des travailleurs », comme vous l'expliquent les experts.

Dans le conflit sur l'AMI, les lignes de front n'auraient pu être tracées plus nettement. D'un côté, les démocraties industrielles et leurs « électorats domestiques », de l'autre, les « hordes de francs-tireurs », les « intérêts particuliers » et les « marginaux extrémistes » qui réclament franchise et responsabilité et sont mécontents quand les parlements se contentent d'entériner les accords secrets élaborés par l'État et le pouvoir privé en collusion. Ces hordes affrontaient la principale concentration de pouvoir du monde, et peut-être de toute l'Histoire : les dirigeants des États riches et puissants, les institutions financières internationales et les secteurs financiers et manufacturiers concentrés, dont les conglomérats médiatiques. Et les éléments populaires ont gagné – bien qu'ils eussent des moyens si dérisoires, et une organisation si limitée, que seule la paranoïa de ceux qui réclament le pouvoir absolu pouvait les percevoir dans les termes que nous venons de décrire. Voilà une remarquable réussite.

Ce ne fut pas la seule victoire de la période. Il y en eut une autre à l'automne 1997, quand l'administration Clinton fut contrainte de retirer sa législation Fast Track. Rappelons que la question n'était pas la « liberté du commerce », comme on le prétendait, mais la démocratie : les hordes exigeaient « une franchise et une responsabilité plus grandes ». L'administration Clinton avait fait valoir, à juste titre, qu'elle ne réclamait rien de bien nouveau : simplement le pouvoir, dont ses prédécesseurs avaient joui, de conclure « toutes portes closes des accords » qui seraient ensuite « approuvés sans discussion par les parlements ». Mais les temps changent. Comme la presse économique l'admit quand Fast Track se heurta à une opposition inattendue de l'opinion, les adversaires de l'ancien régime disposaient de l'« arme absolue », le grand public, qui ne se contentait plus du rôle de spectateur tandis que ses supérieurs s'occupaient des choses sérieuses. Les plaintes de la presse d'affaires rappellent celles formulées par les internationalistes libéraux de la Commission trilatérale voilà vingt-cinq ans, déplorant les efforts des « intérêts particuliers » pour s'organiser et entrer dans l'arène politique. Leurs gesticulations vulgaires venaient perturber les arrangements civilisés qui prévalaient avant la « crise de la démocratie », du temps où « Truman [pouvait] gouverner le pays avec l'aide d'un nombre relativement restreint de banquiers et d'avocats de Wall Street », comme l'expliquait Samuel Huntington, de Harvard, qui devait bientôt devenir professeur de science politique. Et voilà que maintenant ils envahissent des lieux encore plus sacrés !

Ces événements sont importants. Bien entendu, les puissances de l'OCDE et leurs « électorats domestiques » n'ont pas l'intention d'admettre leur défaite. Elles se livreront à des opérations de relations publiques plus efficaces pour expliquer aux hordes qu'elles feraient mieux de s'en tenir à leurs occupations privées tandis que les affaires du monde sont conduites en secret, et elles chercheront d'autres moyens de mettre en œuvre l'AMI, dans le cadre de l'OCDE ou ailleurs[7]. Elles entreprennent déjà de modifier la charte du FMI de manière à y intégrer des conditions semblables à celles prévues par l'AMI en ce qui concerne l'octroi de crédits, durcissant les règles pour les faibles, c'est-à-dire les autres. Les puissants, eux, n'obéissent qu'à leurs propres règles – ce fut le cas quand l'administration Clinton interrompit ses plaidoyers passionnés en faveur du libre-échange pour imposer des droits de douane prohibitifs aux superordinateurs japonais qui concurrençaient les producteurs américains (appelés « privés », bien qu'ils fussent massivement dépendants des subventions publiques et du soutien de l'État[8]).

Pouvoirs et privilèges ne baisseront pas les armes, mais les victoires populaires devraient nous encourager. Elles nous livrent d'utiles leçons sur ce qu'il est possible d'obtenir, même quand les forces en présence sont aussi incroyablement inégales que dans le cas des affrontements autour de l'AMI. Il est vrai que de telles victoires sont défensives. Elles empêchent, ou du moins retardent, la mise en œuvre de mesures qui saperaient davantage encore la démocratie et remettraient toujours plus de pouvoir entre les mains de tyrannies privées en voie de concentration, lesquelles cherchent à gouverner les marchés et à constituer une sorte de « Sénat virtuel », parfaitement armé pour contrer les efforts populaires visant à imposer le recours aux formes d'expression démocratiques dans l'intérêt général – par des moyens aussi divers que les menaces de fuite de capitaux, le transfert de capacités de production, le contrôle des médias, etc. Il conviendrait de s'intéresser de près aux craintes et au désespoir des puissants. Ils connaissent parfaitement le pouvoir potentiel de l'« arme absolue », et espèrent simplement que ceux qui veulent un monde plus libre et plus juste, moins lucides qu'eux, négligeront d'en user efficacement.

[Cet article a paru dans le numéro de juillet/août 1998 du magazine Z.]

NOTES

1. R.C. Longworth, « Global markets become a private business. Experts begin setting the rules away from public view », *Chicago Tribune-Denver Post*, 7 mai 1998.

2. *Economist*, 21 mars 1998.

3. Louis Uchitelle, *New York Times*, 30 avril 1998 ; Anna Swardson, *Washington Post*, 29 avril 1998.

4. *Time*, 27 avril 1998, *G&M*, 29 avril 1998, tous deux cités par *Weekly News Update*, Nicaragua Solidarity Network, 339 Lafayette Street, New York, NY 10012.

5. Guy de Jonquières, « Network guerrillas », *Financial Times* (Londres), 30 avril 1998. Jack Straw est cité dans David Smith, « The whole world in their hands », *Sunday Times* (Londres), 17 mai 1998. Une recherche sur les médias britanniques menée par Simon Finch dans les bases de données n'a découvert pratiquement aucun article sur l'AMI avant 1998.

6. Pour des preuves détaillées, voir Winfried Ruigrock et Rob van Tulder, *The Logic of Industrial Restructuring* (Routledge, 1995).

7. Des mises à jour régulières sont disponibles auprès du Public Citizen's Global Trade Watch, 215 Pennsylvania Avenue, SE, Washington DC 20003. Site Web : http://www.citizen.org/pctrade/tradehome.html

8. Bob Davis, « In effect, ITC's steep tariffs on Japan protect US makers of supercomputers », *Wall Street Journal*, 29 septembre 1997.

Table des matières

Noam Chomsky
De la propagande

De l'éradication des résistances sud-américaines au
contre-terrorisme, Noam Chomsky démonte les rouages
de l'impérialisme américain. Avec une remarquable acuité,
il passe au crible la "fabrication de l'assentiment", les
mobilisations contre l'OMC, le fonctionnement de l'ONU et
des cours pénales internationales, et les fondements de
l'économie mondiale. Derrière le Chomsky politique
apparaît le linguiste, soulignant la falsification du langage,
arme d'une idéologie néolibérale qui veut faire passer
des vessies pour des lanternes. Une analyse lumineuse !

n° 3595 – 7,80 €

Michael Hardt
Antonio Negri

Empire

Prenant acte de la transformation du monde après la guerre froide, Antonio Negri et Michael Hardt s'efforcent de penser les nouvelles formes de domination mondiale et de souveraineté, qui ne se réduisent plus à celle, traditionnelle, de l'État-Nation. Tout autant qu'une analyse, *Empire* est un "essai utopique" de philosophie politique, dans lequel les deux auteurs cherchent à définir un modèle alternatif, un fondement théorique pour parvenir à une société réellement démocratique. Cet ouvrage, subversif et novateur, est rapidement devenu le manifeste de l'altermondialisation.

Michael Hardt
Antonio Negri
Empire
10
18

n° 3635 – 10 €

Richard Sennett
Le travail sans qualités

Risque, flexibilité, travail en réseau, précarité : bienvenue
dans le nouveau monde du travail ! En historien et en
sociologue, Richard Sennett nous soumet des "tranches
de vie" qui révèlent combien la trajectoire sociale des
individus est devenue floue, et comment, depuis vingt ans,
la montée en flèche des inégalités s'est accompagnée
d'une généralisation de la précarité, de l'employé au cadre
supérieur, à tous les échelons où naguère l'on faisait
encore "carrière".

n° 3608 – 7,30 €

COLLECTION FAIT ET CAUSE

Impression réalisée sur Presse Offset par

BRODARD & TAUPIN

GROUPE CPI

La Flèche (Sarthe), 23775
N° d'édition : 3598
Dépôt légal : mai 2004

Imprimé en France